崇文館 家庭典藏

崇文国学经典普及文库

欧阳修文

（宋）欧阳修◎著
斯范◎注译

长江出版传媒
崇文书局

欧阳修文

图书在版编目（CIP）数据

欧阳修文 /（宋）欧阳修著；斯范注译．
—武汉：崇文书局，2017.1
（崇文国学经典普及文库）
ISBN 978-7-5403-4272-2
Ⅰ．①欧…
Ⅱ．①欧… ②斯…
Ⅲ．①古典散文－散文集－中国－北宋
Ⅳ．① I264.41
中国版本图书馆 CIP 数据核字（2016）第 261875 号

出品人 潘启胜

统　　筹 陈中琼
责任编辑 陈春阳

出版发行 长江出版传媒｜崇文书局
地　　址 武汉市雄楚大街 268 号 C 座 11 层
电　　话 (027)87293001 邮政编码 430070

印　　刷 湖北恒泰印务有限公司
开　　本 889×1194 1/32
印　　张 8.25
字　　数 180 千字
版　　次 2017 年 1 月第 1 版
印　　次 2017 年 1 月第 1 次印刷
定　　价 28.80 元
（如发现印装质量问题，影响阅读，请与承印厂调换）

总序

现代意义的“国学”概念，是在19世纪西学东渐的背景下，为了保存和弘扬中国优秀传统文化而提出来的。1935年，王缁尘在世界书局出版了《国学讲话》一书，第3页有这样一段说明：“庚子义和团一役以后，西洋势力益膨胀于中国，士人之研究西学者日益众，翻译西书者亦日益多，而哲学、伦理、政治诸说，皆异于旧有之学术。于是概称此种书籍曰‘新学’，而称固有之学术曰‘旧学’矣。另一方面，不屑以旧学之名称我固有之学术，于是有发行杂志，名之曰《国粹学报》，以与西来之学术相抗。‘国粹’之名随之而起。继则有识之士，以为中国固有之学术，未必尽为精粹也，于是将‘保存国粹’之称，改为‘整理国故’，研究此项学术者称为‘国故学’……”从“旧学”到“国故学”，再到“国学”，名称的改变意味着褒贬的不同，反映出身处内忧外患之中的近代诸多有识之士对中国优秀传统文化失落的忧思和希望民族振兴的宏大志愿。

从学术的角度看，国学的文献载体是经、史、子、集。崇文书局的这一套国学经典普及文库，就是从传统的经、史、子、集中精选出来的。属于经部的，如《诗经》《论语》《孟子》《周易》《大学》《中庸》《左传》；属于史部的，如《战国策》《史记》《三国志》《贞观政要》《资治通鉴》；属于子部的，如《道德经》《庄子》《孙子兵法》《鬼谷子》《世说新语》《颜氏家训》《容斋随笔》《本草纲目》《阅微草堂笔记》；属于集部的，如《楚辞》《唐诗三百首》《豪放词》《婉约词》《宋词三百首》《千家诗》《元曲三百首》《随园诗话》。这套书内容丰富，而分量适中。一个希望对中国优秀传统文化有所了解的人，读了这些书，一般说来，犯常识性错误的可能性就很小了。

崇文书局之所以出版这套国学经典普及文库，不只是为了普及国学常识，更重要的目的是，希望有助于国民素质的提高。在国学教育中，有一种倾向需要警惕，即把中国优秀的传统文化"博物馆化"。"博物馆化"是20世纪中叶美国学者列文森在《儒教中国及其现代命运》中提出的一个术语。列文森认为，中国传统文化在很多方面已经被博物馆化了。虽然中国传统的经典依然有人阅读，但这已不属于他们了。"不属于他们"的意思是说，这些东西没有生命力，在社会上没有起到提升我们生活品格的作用。很多人阅读古代经典，就像参观埃及文物一样。考古发掘出来的珍贵文物，和我们的生命没有多大的关系，和我们的生活没有多大关系，这就叫作博物馆化。"博物馆化"的国学经典是没有现实生命力的。要让国学经典恢复生命力，有效的方法是使之成为生活的一部分。崇文书局之所以强调普及，深意在此，期待读者在阅读这些经典时，努力用经典来指导自己的内外生活，努力做一个有高尚的人格境界的人。

国学经典的普及，既是当下国民教育的需要，也是中华民族健康发展的需要。章太炎曾指出，了解本民族文化的过程就是一个接受爱国主义教育的过程："仆以为民族主义如稼穑然，要以史籍所载人物制度、地理风俗之类为之灌溉，则蔚然以兴矣。不然，徒知主义之可贵，而不知民族之可爱，吾恐其渐就萎黄也。"(《答铁铮》)优秀的传统文化中，那些与维护民族的生存、发展和社会进步密切相关的思想、感情，构成了一个民族的核心价值观。我们经常表彰"中国的脊梁"，一个毋庸置疑的事实是，近代以前，"中国的脊梁"都是在传统的国学经典的熏陶下成长起来的。所以，读崇文书局的这一套国学经典普及读本，虽然不必正襟危坐，也不必总是花大块的时间，更不必像备考那样一字一句锱铢必较，但保持一种敬重的心态是完全必要的。

期待读者诸君喜欢这套书，期待读者诸君与这套书成为形影相随的朋友。

陈文新

（教育部长江学者特聘教授，武汉大学杰出教授）

前言

欧阳修(1007 – 1072),字永叔,唐太子率更令欧阳询之后。吉州永丰(今江西吉安永丰)人。四岁而孤,母郑氏,教以读书为文。仁宗天圣八年(1030),举进士甲科,补西京留守推官。入朝,为馆阁校勘,与修《崇文总目》。范仲淹贬饶州,司谏高若讷以为当黜,修贻书责其不知羞耻,高上其书,坐贬夷陵(今湖北宜昌)令。又徙乾德(今湖北老河口)令、武成军节度判官。召还,进集贤司理。又出通判滑州。庆历三年(1043),知谏院,拜右正言。同修起居注,遂知制诰。奉使河东,还为龙图阁直学士、河北都转运使。党论兴,杜衍、韩琦、范仲淹、富弼相继罢去,修上疏极谏。忌者遂因修孤甥张氏狱,傅致以罪,落职,出知滁州,自号醉翁。又徙扬州、颍州。至和元年(1054),还为翰林学士兼史馆修撰。与宋祁同修《唐书》(即《新唐书》),又自修《五代史记》(即《新五代史》)。嘉祐二年(1057)知贡举,痛抑时文险怪之习,文格以变。嘉祐三年(1058)以翰林学士兼龙图阁学士权知开封府,承包拯威严之后,简易循理,京师亦治。嘉祐五年(1060),拜枢密副使。嘉祐六年(1061),任参知政事。英宗立,"濮议"起,修谓称本生父为皇伯无据，御史吕诲等诋为邪议。神宗熙宁二年(1069)，王安石实行新法。欧阳修对青苗法颇有微词，且未执行。神宗熙宁三年(1070)，除检校太保宣徽南院使等职，坚持不受，改知蔡州，改号“六一居士”。熙宁四年(1071)，以太子少师致仕。熙宁五年(1072)逝世，享年六十六岁，赠太子太师，谥文忠。

中国文学，自汉魏以后，骈俪盛行，词藻富丽，不务实际。唐时韩愈出，始以古文为倡，冀“挽狂澜于既倒”，故有“文起八代之衰”之誉。然韩愈虽创为古文，而俪偶习气尚间有存者。且因数百年积习之深，是以经唐末五季，以至宋初，骈文仍旧盛行，且变本加厉，务为新奇。独欧阳修于举世不为之日，与尹洙、苏舜钦兄弟等，提倡古文，不遗余力。据修《记旧本韩文后》，他于十五六岁时，在随州李氏家壁间敝筐中，检得《韩文》六卷，乞归读之，爱其深厚雄博，苦心探讨，至忘寝食。后官洛阳，始与尹洙等议论，并出所藏《韩集》，补缀校定，以资倡率。又因试士衡文，深革时弊，务求平淡典要，凡怪僻知名之士，尽黜之。所举如曾巩、苏轼兄弟等，后皆为古文大家，苏洵、王安石亦修所荐举。欧阳修文道并重，继唐韩愈、柳宗元之后，开一代文风，执文坛牛耳，倡北宋诗文革新运动，一扫积习，故有宋一代，文学蔚为大观。

修著述甚丰，有《居士集》五十卷，《外集》二十五卷，《易童子问》三卷，《外制集》三卷，《内制集》八卷，《表奏书启四六集》七卷，《奏议集》十八卷，《杂著述》十九卷，《集古录跋尾》十卷，《书简》十卷。“文备众体，变化开阖，因物命意，各极其工，其得意处，虽退之未能过。”(吴充《欧阳公行状》)“得之自然，非学所至，超然独骛，众莫能及，譬夫天地之妙，造化万物，动者植者，无细与大，不见痕迹，自极其工。”（韩琦《欧阳公墓志铭》）“形于文章，见于议论，豪健俊伟，怪巧瑰琦，其积于中者，浩如江河之停蓄；其发于外者，烂如日星之光辉；其清音幽韵，凄如飘风急雨之骤至；其雄辞闳辨，快如轻车骏马之奔驰。”（王安石《祭欧阳文忠公文》）以上所举，或不无言过其实，然推崇之词，则几于众口同声，后人亦无可异议者也。修之为人，天怀乐易，性情肫挚，故其文章，亦委曲纡徐，神韵绵邈，特多抒情之作；而又博极群书，好学不倦，遂能刷削凡猥，出以自然。

《欧阳修全集》计百五十余卷，卷帙繁富，其中除制诰、奏议、经说、时文、诗词、杂著以外，散文作品，不下数百篇，故历来各家选本，取舍不同，出入互见。本编抉择其尤为精粹者，略为品评，加以诠释，俾资参考之助。

目录

赋

论

墓志

记

序

传

书

祭文

杂题跋

赋

秋声赋

【题解】

文章勾画了一幅萧条肃杀的秋景图，抒发了欧阳修感伤、惆怅的情怀。欧阳修笔下的秋声，活灵活现，形态可掬，表现出他写景状物的非凡功力。

【原文】

欧阳子方夜读书，闻有声自西南来者，悚然[①]而听之，曰："异哉！"初淅沥以萧飒[②]，忽奔腾而砰湃[③]；如波涛夜惊，风雨骤至。其触于物也，鏦鏦铮铮[④]，金铁皆鸣；又如赴敌之兵，衔枚疾走[⑤]，不闻号令，但闻人马之行声。余谓童子："此何声也？汝出视之。"童子曰："星月皎洁，明河[⑥]在天，四无人声，声在树间。"

余曰："噫嘻悲哉！此秋声也，胡为而来哉？盖夫秋之为状也：其色惨淡，烟霏[⑦]云敛；其容清明，天高日晶；其气栗冽[⑧]，砭[⑨]人肌骨；其意萧条，山川寂寥。故其为声也：凄凄切切[⑩]，呼号奋发。丰草绿缛[⑪]而争茂，佳木葱茏[⑫]而可悦；草拂之而色变，木遭之而叶脱；其所以摧败零落者，乃其一气之余烈。

"夫秋，刑官也[⑬]，于时为阴；又兵象也，于行为金[⑭]；

是谓天地之义气[15]，常以肃杀而为心。天之于物，春生秋实。故其在乐也，商声主西方之音[16]，夷则为七月之律[17]。商，伤也，物既老而悲伤；夷，戮也，物过盛而当杀。

“嗟乎！草木无情，有时飘零。人为动物，惟物之灵[18]。百忧感其心，万事劳其形，有动于中，必摇其精。而况思其力之所不及，忧其智之所不能，宜其渥然[19]丹者为槁木，黟然黑者为星星[20]。奈何以非金石之质，欲与草木而争荣？念谁为之戕贼，亦何恨乎秋声？”

童子莫对，垂头而睡。但闻四壁虫声唧唧[21]，如助余之叹息。

【注释】

①悚然：失惊貌。

②萧飒：风声。

③砰湃：波涛声。

④锹锹铮铮：金铁戛击之声。

⑤古时行军，或令军士衔枚。枚状如箸，横衔口中，组系项后，则军行不得偶语，所以禁喧嚣也。

⑥明河：天河也，亦名银河，系无数微光恒星集合而成，弯环如河，夏秋夜晴，望之历历。

⑦霏：烟甚貌。

⑧晶：精光也。栗冽：犹栗烈，寒。

⑨砭：石针也，借作“刺”义。

⑩切切：形容声音轻细而急促。

⑪缛：繁密的彩饰。

⑫葱茏：草木茂盛貌。

⑬上古置官，多以四时为名，《周礼》六官，司寇为秋官，即后世之刑部也。

⑭行：五行——木、火、土、金、水——分配四时；春，木；夏，火；秋，金；冬，水；土，居中央，寄旺四时。

⑮《礼·乡饮·酒义》："天地严凝之气，始于西南，而盛于西北，此天地之尊严气也，此天地之义气也。"西南至西北，秋之方位也。

⑯商：五声——官、商、角、徵、羽——之一，五声分配四时；春，角；夏，徵；秋，商；冬，羽；官，属中央土。

⑰夷则：十二律——黄钟、大吕、太簇、夹钟、姑洗、仲吕、蕤宾、林钟、夷则、南吕、无射、应钟——之一，孟秋之月，律中夷则，并见《礼记·月令》。律，本正音之器，黄帝臣伶伦，截竹为箫，阴阳各六，箫有长短则声有清浊高下，后亦以配每年十二月，以占气候。

⑱《尚书·泰誓》："惟人万物之灵。"

⑲渥然：谓渍以赤色，言红润也。《诗·秦风·终南》："颜如渥丹。"槁木：枯木，言无生意也，《庄子·齐物论》："形固可使如槁木，而心固可使如死灰乎？"

⑳黟（yī）：黑也。星星：犹点点也。谢灵运《游南亭》诗："星星白发垂。"

㉑唧唧：虫声。

【译文】

欧阳先生正在夜里读书，听见有响声从西南方向传来，吃惊地听了听，说："奇怪啊！"开始时淅淅沥沥像雨声，还夹杂着萧萧飒飒的风吹树木声，忽然变得奔腾澎湃起来，仿佛夜里汹涌的波涛突起，又好似骤然而至的一场狂风暴雨。它碰到外物，铮铮，像是铜铁相撞的声音；又像奔赴前线的将士，衔枚疾走，听不见号令，只听见人马行进的脚步声。我对书童说："这是什么声音？你出门看看。"书童说："星月皎洁，银河挂在天上，四处没有人声，声音在树林中。"

我说："哎呀！可悲呀！这是秋天的声音，怎么来的呢？秋天的情景大概是这样的：它的颜色惨淡，烟雾消散，云气收敛；它的面容清新明净，天高气爽，阳光明亮；它的气息寒冷，刺人肌骨；它的意境萧条，山川寂静空旷。因此它的声音，悲悲切切，就像人在发愤呼喊。芳草萋萋，争相生长，秀树蓊郁，十分可爱；但青草在秋风吹拂下改变了颜色，树木遭受秋风扫荡而落光了叶子；它能折断树枝、凋落花草的原因，便是那秋气的余威啊。

"秋天，是司寇用刑的时候，在季节上属于阴；又是战争的象征，在五行中属于金；这就是人们常说的天地间的正义之气，常以肃杀作为核心。大自然对于万物，让它们在春天生长，秋天结实。因此在音乐方面，商声是主宰西方的声音，夷就是七月的音律。商，是伤的意思，万物老了就要悲伤；夷，是杀戮的意思，万物过于兴盛，就会衰亡。

"唉！草木是无情之物，到了时候就会凋零。人是动物，是万物的灵长，各种忧虑来扰乱他的心神，各种事情来劳累他的身体，只要内心被外物触动，必然耗费精力。更何况常常思考自己的力量所做不到的事情，忧虑自己的智慧所不能解决的问题，当然会使他红润的脸色变得枯槁，使他乌黑的头发变得花白。为什么要用并非金石的肌体，去与草木争荣斗胜呢？想想是谁戕害了自己，又何必抱怨这秋声呢？"

书童没有回答，低头沉沉睡去。只听见四周墙脚虫声唧唧，好像是在附和我的叹息。

论

本　论[①]

【题解】

这是一篇批判佛教、提倡儒学的文章。欧阳修指出佛教这种外来宗教之所以能迷惑国人，根源在于政治不修明，统治者不能贯彻儒家学说，故提出“修其本以胜之”，即大兴仁义礼乐才能从根本上战胜佛法。

【原文】

佛法为中国患千余岁[②]，世之卓然[③]不惑而有力者，莫不欲去之[④]。已尝去矣，而复大集[⑤]，攻之暂破而愈坚，扑之未灭而愈炽[⑥]，遂至于无可奈何。是果不可去邪？盖亦未知其方也。

夫医者之于疾也，必推其病之所自来，而治其受病之处[⑦]。病之中人，乘乎气虚而入焉。则善医者，不攻其疾而务养其气，气实则病去[⑧]，此自然之效也。故救天下之患者，亦必推[⑨]其患之所自来，而治其受患之处。佛为夷狄[⑩]，去中国最远，而有佛固已久矣。尧、舜、三代之际[⑪]，王政修明，礼义之教充于天下，于此之时，虽有佛无由而入。及三代衰，王政阙，礼义废，后二百余年而佛至乎中国[⑫]。由是言之，佛所以为吾患者，乘其阙废之时而来，

此其受患之本也。补其阙，修其废，使王政明而礼义充，则虽有佛无所施于吾民矣，此亦自然之势也。

昔尧、舜、三代之为政，设为井田之法[13]，籍天下之人，计其口而皆授之田[14]。凡人之力能胜耕者，莫不有田而耕之。敛以什一[15]，差其征赋，以督其不勤[16]。使天下之人，力皆尽于南亩[17]，而不暇乎其他。然又惧其劳且怠而入于邪僻也，于是为制牲牢酒醴以养其体[18]，弦匏俎豆以悦其耳目[19]，于其不耕休力之时而教之以礼[20]。故因其田猎而为蒐狩之礼[21]，因其嫁娶而为婚姻之礼，因其死葬而为丧祭之礼，因其饮食群聚而为乡射之礼[22]。非徒以防其乱，又因而教之，使知尊卑长幼，凡人之大伦也。故凡养生送死之道，皆因其欲而为之制。饰之物采[23]而文焉，所以悦之，使其易趣也；顺其情性而节焉，所以防之，使其不过也。然犹惧其未也，又为立学以讲明之。故上自天子之郊[24]，下至乡党[25]，莫不有学[26]，择民之聪明者而习焉，使相告语而诱劝其愚惰。呜呼！何其备也！

盖尧、舜、三代之为政如此，其虑民之意甚精，治民之具甚备，防民之术甚周，诱民之道甚笃。行之以勤而被于物者洽[27]，浸之以渐[28]而入于人者深。故民之生也，不用力乎南亩，则从事乎礼乐之际；不在其家，则在乎庠序之间。耳闻目见，无非仁义，乐而趣之，不知其倦。终身不见异物[29]，又奚暇夫外慕[30]哉？故曰，虽有佛无由而入者，谓有此具也。

及周之衰，秦并天下[31]，尽去三代之法[32]，而王道中绝。后之有天下者，不能勉强，其为治之具不备，防民之渐不周，佛于此时乘间[33]而入。千有[34]余岁之间，佛之来者日益众，吾之所为者日益坏。井田最先废，而兼并游惰之奸起[35]，其后所谓蒐狩、婚姻、丧祭、乡射之礼，凡所以教民之具，相次而尽废。然后民之奸者有暇而为他，其良者泯然[36]不见礼义之及己。夫奸民有余力则思为邪僻，良民不见礼义则莫知所趣，佛于此时乘其隙，方鼓其雄诞之说而牵之[37]，则民不得不从而归矣。又况王公大人，往往倡而驱之[38]，曰："佛是真可归依者[39]。"然则吾民何疑而不归焉？幸而有一不惑者，方艴然而怒曰[40]："佛何为者？吾将操戈[41]而逐之。"又曰："吾将有说而排之。"夫千岁之患，遍于天下，岂一人一日之可为？

民之沉酣[42]，入于骨髓，非口舌之可胜。然则将奈何？曰："莫若修其本以胜之。"昔战国之时[43]，杨、墨交乱[44]，孟子[45]患之，而专言仁义，故仁义之说胜，则杨、墨之学废。汉之时，百家[46]并兴，董生患之而退修孔氏[47]，故孔氏之道明而百家息。此所谓"修其本以胜之"之效也。

今八尺之夫，被甲荷戟[48]，勇冠三军[49]，然而见佛则拜，闻佛之说则有畏慕之诚者，何也？彼诚壮佼[50]，其中心茫然无所守而然也。一介[51]之士，眇然柔懦[52]，进趋畏怯，然而闻有道佛者，则义形于色，非徒不为之屈，又欲驱而绝之者，何也？彼无他焉，学问明而礼义熟，中心有所守以胜之也。然则礼义者，胜佛之本也。今一介之士，知礼义者，尚能不为之屈，使天下皆知礼义，则胜之矣，此自然之势也。

【注释】

①原有三篇，庆历二年（1042）作，上篇论为治之本务先均财、节兵、立制、任人、尚名，晚年删存外集。中下两篇，皆辟佛之文，本书选其中篇。

②佛法：为世界宗教之一，创于天竺（今印度）迦比罗城王子释迦牟尼，其教以成佛超凡为主。后汉明帝永平八年（65），遣蔡愔、秦景、王遵等，至天竺求佛书，及沙门摄摩腾竺法兰而来，佛法始入中国，历晋、魏、梁、隋，其教大盛。至庆历时，约九百八十余年。

③卓然：特立之貌。

④如北周武帝废佛、道教，唐傅弈、韩愈等，辟之尤力。

⑤集：聚也，谓佛教又大盛也。

⑥二语以兵、火为喻，极言佛法废而复起之势。

⑦《墨子·兼爱》："医之攻人之疾者然，必知其疾所自起，焉能攻之。"语意本此。

⑧唐柳公倬《太医箴》："气与心流，疾乃伺之……气离有患，气完则成……医之上者，理于未然，患居虑后，防处事先。"数语本此。古人谓无形质可见而相感者曰气。

⑨推：寻绎也。

⑩佛为天竺人，即今之中印度，生于周灵王之时。夷狄，古时对于外族之通称。东方曰夷，北方曰狄。

⑪尧：帝尧，姬姓，高辛氏次子，初封于陶，后封于唐，故号陶唐氏。舜：帝舜，姚姓，受尧禅位，其先世国于虞，故号有虞氏。三代：夏、商、周也。

⑫周亡至后汉明帝时，二百七十余年。

⑬周制井田之法，以地方一里，画为九区，每区百亩，中为公田，其外

八家，各受一区为私田，形如井字，故曰井田。夏商制亦相若，惟夏田五十亩，商田七十亩耳。

⑭除卿大夫士外，一夫皆受田百亩，可食八口之家。

⑮敛：取也，夏用贡法，每夫计五亩之入为贡。商用助法，借八家之力助耕公田。周用徹法，郊内用贡法，都鄙用助法，耕则通力合作，收则计亩而分；约皆取其什分之一以为赋税。

⑯周制，宅不种桑麻者，罚之使出一里二十五家之布；民无常业者，罚之使出一夫百亩之税，一家力役之征。

⑰南亩：田垄之通称。

⑱牲：兽之用于宾祭者。牢：牲也，牛曰太牢，羊曰少牢。醴：甜酒也。

⑲弦：丝绳施之于琴瑟者。匏(páo)：八音之一，笙、竽之属，皆列管匏内，施簧管端，故曰匏。俎、豆：祭器名，皆以木为之。俎，长方形如架，用以荐牲；豆，圆形有柄，用以盛濡物。

⑳古者乡饮之礼，多于冬月农事既登时行之。

㉑春猎曰蒐，聚人众也；冬猎曰狩。狩，围守也。

㉒乡：乡饮酒礼，乡学三年，业成将升于君，乡大夫与之饮酒之礼也。射：乡射礼，州长春秋以礼会民，射于州序之礼也。

㉓物采：谓典章彝器之属。

㉔夏之西序，即小学；商之右学，即大学；周之虞庠，即小学，皆在国都西郊。

㉕万二千五百家曰乡，五百家曰党。

㉖党之学曰庠，乡之学曰序。

㉗洽：浸润。

㉘渐：慢慢地，一点一点地。

㉙异物：谓邪僻之事。

㉚外慕：羡慕外来之物也。

㉛周自平王东迁之后，王室式微，至东周君时，为秦庄襄王所灭，传子政，次第灭韩、赵、魏、楚、燕、齐六国，统一天下，号始皇帝。

㉜秦孝公时，用卫公孙鞅为左庶长，定变法之令。

㉝间（jiàn）：隙也。

㉞有（yòu）：又也。

㉟周显王十九年（公元前350），秦始废井田，开阡陌，更赋税之法，豪强得以兼并田产，恣为游惰。

㊱泯然：消失净尽貌。

㊲鼓：动也。诞：妄为大言也。

㊳倡而驱之：谓提倡佛教，迫民使从之也。

㊴归依：信仰而崇奉之也，梵书作皈依，佛教有归依佛、归依法、归依僧，谓之三归。

㊵艴（fú）：盛气色也，怒也。

㊶戈：古兵器名，横刃，状如鸡鸣，其刃向前者曰援，下垂附于柲者曰胡，其后端曰内。

㊷沉酣：本谓饮酒沉湎而酣畅，今凡醉心其事者，皆曰沉酣。

㊸自周威烈王二十三年（前403），韩、赵、魏三家分晋，至秦并六国止，皆为战国之世。

㊹杨：杨朱，倡“为我”之说，拔一毛而利天下，皆不为也。墨：墨翟，倡“兼爱”之说。皆战国时人。

㊺孟子：名轲，战国时邹人，著书七篇，重仁义，辟杨墨，谓“为我”无君、“兼爱”无父，其言曰：“杨墨之道不息，孔子之道不著，是邪说诬民、充塞仁义也。”

㊻百家：诸子百家也，汉承秦敝，学者多治申、韩、苏、张之说，黄、老之

言尤盛。

㊼董生：董仲舒，汉广川人，少治《春秋》，为博士，武帝时，举贤良方正，对《天人三策》，略谓："今百家殊方，指意不同……臣愚以为不在六艺之科、孔子之术者，皆绝其道，勿使并进。"上以为江都王相，中废为中大夫，以言灾异下狱，后为胶西王相，以病免，著有《春秋繁露》等书。孔氏：孔子，名丘，字仲尼，周春秋时鲁人，为儒家之祖。

㊽荷(hè)：以肩承之也。戟：古兵器名，其制与戈略同，惟援略昂起，而内亦有刃。

㊾冠(guàn)：为众之首。

㊿壮：硕大也。佼：美好也。

(51)一介：一个也。

(52)眇：细微也。懦：弱也。

【译文】

佛法成为中国的祸患已经千余年，世上的有卓越见识而不被迷惑且有能力的人，没有不打算摒弃它的。然而曾经摒弃它了，但是它却又重新集结成一大势力，暂时被攻破而日后又更加坚固起来，犹如扑不灭的火焰愈烧愈旺，以至于无可奈何。佛法真的不能摒弃掉吗？其实是没有找到摒除它的方法。

医生面对疾病，必须首先推测这种疾病是因何而起的，然后治疗受疾病侵害的部位。疾病侵入人体，是乘人气虚之时而入的。那么善于治病的良医，并不着力攻击当前的疾患，而是要培养病人的元气，病人的元气坚实了，疾病就会消除，这是自然之理。所以，要拯救天下的病人，也同样要推测他们患病的因由，然后进行针对性的治疗。佛教是外来的宗教，距离中国非常远，但是佛教本来已经出现很久了。尧、舜、三代时期，王政修明，礼义被天下的百姓视为行为准则，当此之时，虽然有佛教，却没有机会传入中国。等到三代衰亡之际，行仁义的王政已不存在，礼义被废弃，所以此后二百余年而佛教趁机传入中国。由此说来，佛之所以成为中国的祸患，正是乘我们有所阙失、废弛的时候而来的，这才是我们大受其害的根本原因。补救阙失，修复废弛，做到王政修明，礼义被人民普遍接受，那么，虽然有佛法，却不能在百姓间施展其伎俩，这同样是自然的道理。

过去尧、舜、三代统治之时，制定井田之法，将天下之民登记在国家的册簿上，然后按照人口授予田地。凡是有能力进行耕作的百姓，没有不授田而耕作的。国家征收十分之一的税赋，并摊派其他的赋役，以此督促那些怠惰者。使天下之民的力量都用在土地上，而无暇顾及其他。不过，又担心他们因劳累而生怠惰之心并因此走上邪路，于是又让他们饲养牲畜、造酒以养护身体，以音乐及祭祀满足耳目之好，在农闲休养体力时教他们礼仪。于是，因为他们田猎，就为之制定了春蒐冬狩之礼；因为他们男婚女嫁，就为之制定了婚姻之礼；因为他们有死有葬，就为之制定了丧祭之礼；因为他们饮食、聚会，就为之制定了乡射之礼。不只是要防止他们胡作非为，又趁机教育他们，使他们知道尊卑长幼，是一切人都应该遵从的最高伦理。因此，凡是属于养生送死的制度，都根据他们的愿望加以制定。装扮以色彩并饰以纹理，所以博得大家的好感，使他们都来这样做；顺随他们的本性而又加以节制，所以有所防备，使他们不得过分逾越。尽管这样，还是担心他们不按照礼的规定去做，又为他们建立学校加以讲明。所以上至天子王都的郊区，下至乡党，无不设立学校，选择百姓中聪明的人学习，让他们互相教授，并劝诱那些愚笨、怠惰的人。这是何等的周密完备啊！

尧、舜、三代的统治就是这样，他们考虑百姓的心意深刻，治理百姓的措施完备，防范百姓的手段周密，诱导百姓的方法纯厚。所实行的这一切都顺随百姓的天性，属于人工雕琢的都恰到好处；以渐进的办法实行教化，因此得以在人民中深深扎根。百姓在有生之年，不是在田野上劳作，就是在从事礼乐活动；不是待在家中，就是在学校中。耳闻目睹的都是仁义，人们都乐于照此去做，不知疲倦。既然终生不会见到非礼之事，又哪有闲暇去羡慕域外的事物呢？所以说，当时虽然有佛法却没有机会传入，正是因为有上述这一切。

等到周王朝衰亡，秦始皇统一天下，将三代之法全部废除，而王道从此中断。后来得天下的人又不知努力，统治的措施不完备，对百姓的防范不够周密，佛正是乘此时机传入。千余年间，佛教的信众日益增多，我们的传统却越来越破败。井田首当其冲，于是土地兼并日烈，而游手好闲、不事生产之风气渐起，紧接着，所谓的蒐狩、婚姻、乡射之礼，凡是对人民有教导作用的措施，相继被废弃。于是百姓中奸猾之徒有闲暇去做其他坏事，而那些守法良民全然感受不到礼义与自己有什么相干。奸猾之徒有余力就会走邪路，良民不知礼义就不知道往哪里走，佛教乘机而入，鼓吹貌似雄辩实则荒诞的学说诱惑百姓，于是人民不得不归依佛教。更何况那些王公大人们又往往加以提倡并驱使百姓信奉佛教，他们说："佛确实是值得归依的。"我们的百姓还会有什么疑虑而不归依佛教呢？幸而有一坚定而清醒的人，他气愤地说："佛是干什么的？我将要拿起武器驱逐它。"又说，"我将要著书立言来摒除佛教。"不过，千年的祸患，影响遍及天下，岂是一人一日的力量可以摒除的？

人民对佛教沉醉痴迷，深入骨髓，绝非口舌能战而胜之的。然而究竟该怎么办呢？答案是："不如修复根本而战胜它。"从前战国时期，杨朱、墨翟一同出来扰乱人民的思想，孟子对此感到忧虑，于是专讲仁义，所以仁义之说取胜，则杨、墨之学自然被废弃了。汉代，百家学说一同复兴，董仲舒对此也感到忧虑，于是闭门研习孔子的学说，所以孔子之道倡明天下，而百家的学说自然就无声无息了。这就是我所说的"修其本而胜之"的作用。

如今身长八尺的壮汉，披坚执锐，勇冠三军，然而见佛就拜，听见佛家的谬论就心生畏惧而仰慕不已，这是什么道理呢？这类人虽然强壮有力，但心中茫然而缺乏坚定的准则。一个普通的人，看上去很软弱，进退失据，畏畏缩缩，然而一听到有人讲佛法就有正义感表现出来，这又是什么道理呢？没有其他原因，只是因为这种人有明白的学问而且又熟悉礼义，心中有自己坚守的准则，故能胜过佛教。所以礼义才是战胜佛教的根本。今天单独一个知礼义的普通人，尚且能够不被佛法降服，那么，使天下人都知礼义，则必会战胜佛法，这是自然会出现的趋势。

朋党论[①]

【题解】

本文指出了君子的朋党与小人的朋党的本质区别。小人为个人的私利而朋比为奸，导致国家混乱衰亡；君子因志同道合而结成同盟，使国家兴旺发达。因此，作为最高统治者，应该大力扶持君子的朋党，消除小人的朋党。

【原文】

臣闻朋党之说，自古有之[②]，惟幸[③]人君辨其君子小人而已。

大凡君子与君子，以同道为朋；小人与小人，以同利为朋[④]，此自然之理也。然臣谓小人无朋，惟君子则有之，其故何哉？小人所好者禄利也，所贪者财货也，当其同利之时，暂相党引[⑤]以为朋者，伪也；及其见利而争先，或利尽而交疏，则反相贼害[⑥]，虽其兄弟亲戚不能相保。故臣谓小人无朋，其暂为朋者，伪也。君子则不然：所守者道义，所行者忠信，所惜者名节[⑦]。以之修身，则同道而相益；以之事国，则同心而共济[⑧]，终始如一，此君子之朋也。故为人君者，但当退小人之伪朋[⑨]，用君子之真朋，则天下治矣。

尧之时，小人共工、驩兜等四人共为一朋[⑩]，君子八元、八恺十六人为一朋[⑪]。舜佐尧[⑫]，退四凶小人之朋[⑬]，

而进元恺君子之朋[14]，尧之天下大治。及舜自为天子，而皋、夔、稷、契等二十二人[15]，并列于朝，更相称美，更相推让[16]，凡二十二人为一朋，而舜皆用之，天下亦大治。

《书》曰[17]："纣有臣亿万[18]，惟亿万心；周有臣三千，惟一心。"纣之时，亿万人各异心，可谓不为朋矣，然纣以亡国；周武王之臣三千人为一大朋，而周用以兴[19]。

后汉献帝时[20]，尽取天下名士囚禁之，目为党人[21]。及黄巾贼起，汉室大乱[22]，后方悔悟，尽解党人而释之[23]，然已无救矣。

唐之晚年，渐起朋党之论[24]。及昭宗时[25]，尽杀朝之名士，咸投之黄河，曰："此辈清流，可投浊流[26]。"而唐遂亡矣[27]。

夫前世之主，能使人人异心不为朋，莫如纣；能禁绝善人为朋，莫如汉献帝；能诛戮清流之朋，莫如唐昭宗之世，然皆乱亡其国。更相称美推让而不自疑，莫如舜之二十二臣，舜亦不疑而皆用之。然而后世不诮[28]舜为二十二人朋党所欺，而称舜为聪明之圣者，以能辨君子与小人也。周武之世，举[29]其国之臣三千人共为一朋，自古为朋之多且大，莫如周。然周用此以兴者，善人虽多而不厌也[30]。

嗟呼！夫兴亡治乱之迹[31]，为人君者，可以鉴[32]矣！

【注释】

①宋仁宗时，吕夷简罢相，夏竦罢枢密使，杜衍、富弼、韩琦、范仲淹并执政，修与王素、蔡襄、余靖为谏官，竦等不悦，王拱辰、章得象等造

为党论，目仲淹等为党人，以倾陷之。庆历四年(1044)，修乃上此论。

②自古有之：如后汉灵帝时之钩党，及唐文宗时之牛、李党，皆是。

③幸：希冀也。

④朋：结党。

⑤党引：结党而援引也。

⑥贼：伤害也。

⑦名节：名誉气节也。

⑧济：渡，过河。此言成就事也。

⑨退：废斥不用也。

⑩共工：官名，古之世官族也。驩兜：臣名。尧时，共工、驩兜、三苗(国名)、鲧，谓之四凶。

⑪八元：为高辛氏之才子八人，名伯奋、仲堪、叔献、季仲、伯虎、仲熊、叔豹、季貍。元，善也。八恺：为高阳氏之才子八人，名苍舒、隤敳、梼戭、大临、尨降、庭坚、仲容、叔达。恺，亦作"凯"，善也。

⑫尧在位七十载举舜登庸。

⑬舜流共工于幽州，放驩兜于崇山，窜三苗于三危，殛鲧于羽山。

⑭舜使八元布五教于四方；举八恺，使主后土，以揆百事。

⑮皋：皋陶，即八恺中之庭坚，舜使之作士(刑官)。夔：亦曰后夔，典乐。稷：后稷，掌稼穑之官，舜使弃为之。契：子姓，舜使为司徒，掌教。二十二人：禹、弃、契、皋陶、垂、益、伯夷、夔、龙，九官，及四岳十二牧。

⑯舜命各官，咨于群臣。更相称美，如宅百揆，佥举禹，典礼，佥举伯夷之类。更相推让，如垂让于殳斨及伯与，益让于朱虎、熊罴之类。

⑰《书》：《尚书》，四语见《周书·泰誓》篇。

⑱商帝辛之谥为纣，谥法："残忍捐义曰纣。"亿：数名，有两种：小数十万曰亿，大数万万曰亿。

⑲武王伐商，纣发兵七十万人拒战，众无斗心，倒戈而溃，纣自焚死，商亡。

⑳献帝，名协，后汉灵帝子。

㉑后汉桓帝时，宦官专权，告李膺、杜密、陈实、范滂等，共为部党，皆下狱，寻赦归，禁锢终身。及灵帝时，宦者曹节等遂杀窦武、陈蕃及膺等百余人，时党人有三君、八俊、八顾、八及、八厨之称，多及于难。此论作献帝时，误。

㉒巨鹿张角挟妖术，遣弟子游四方，聚众数十万，讹言："苍天已死，黄天当立。"灵帝中平元年(184)起兵，皆着黄巾为识；自是窜扰数十年，以讫汉亡。

㉓黄巾军起，京师震动，灵帝召群臣议，用皇甫嵩、吕强言，解党禁，大赦党人。

㉔唐文宗时，李德裕与李宗闵、牛僧孺，各为朋党，互相挤援，时谓之牛、李党。

㉕昭宗：名杰，即位更名敏，复更名晔，懿宗第七子，僖宗之弟，昭宣帝之父。

㉖昭宣帝天祐二年(905)，朱全忠聚裴枢、独孤损、崔远、陆扆、王溥、赵崇等三十余人于白马驿，一夕尽杀之。李振屡举进士不第，深疾缙绅之士，言于全忠曰："此辈常自谓清流，宜投之黄河，使为浊流。"全忠笑从之。此论作昭宗时，误。

㉗天祐四年(907)，全忠废昭宣帝为济阴王，寻弑之，唐亡。

㉘诮：责备。

㉙举：合也。

㉚不厌：犹言无妨也。
㉛昔人所遗留者曰“迹”。
㉜鉴：诫也。修意欲仁宗勿信竦等朋党之说，当引汉唐党祸为诫，故云。

【译文】

我听说朋党的提法，自古以来就有了，只是希望皇上能辨别是君子的朋党还是小人的朋党罢了。

大体说来，君子与君子因道义上的一致而结为朋党，小人与小人因私利上的一致而结为朋党，这是自然而然的道理。但我认为小人没有朋党，只有君子才有朋党，这是为什么呢？小人所喜好的是利禄，所贪图的是钱财，当他们利益一致的时候，暂时互相勾结为朋党，但这是一种假象。当他们看见利益时，就争先恐后去争夺；当他们没有共同利益而疏远的时候，就反过来互相加害，即使是自己的兄弟和亲戚都无法幸免。所以我认为小人没有朋党，他们暂时结为朋党，只是一种假象。君子就不是这样，他们所恪守的是道义，所奉行的是忠诚和信用，所珍惜的是名誉和节操。用这些来修身养性，就会因为道义一致而互相促进；用这些来处理国家事务，就会因为想法相同而同舟共济，始终如一，这就是君子的真朋党。所以做君主的，只要能斥退小人的假朋党，进用君子的真朋党，那么天下就能治理好了。

尧的时候，小人共工、驩兜等四人勾结为朋党，君子八元、八恺等十六人结为朋党；舜辅佐尧摈退了四个凶恶的小人结成的朋党，而任用了八元、八恺等人结成的君子朋党，尧的天下大治。到了舜自己治理天下的时候，皋、夔、稷、契等二十二人一并列位在朝廷上，他们互相赞美，互相谦让，这二十二人结为一支朋党，而舜都加以任用，天下大治。

《尚书》说："商纣王拥有亿万大臣，只是他们每人都有不同的心；周武王有三千大臣，只是他们都怀着同一条心。"商纣王的时候，亿万人心思各不相同，可以说没有结为朋党，所以纣王因此亡国；周武王有三千大臣结为一支浩大的朋党，周武王任用他们而使国家兴盛。

东汉献帝的时候，将天下的名士全都抓捕关押起来，将他们视为结朋党的人。到黄巾起义时，东汉王朝大乱，方才来后悔并醒悟过来，为全部党人平反并将他们释放，然而国家已经不可挽救了。

唐朝后期，逐渐兴起了关于朋党的议论。到唐昭宗的时候，把朝廷中有名望的人物全部杀光，皆投进黄河，说："这班人自以为清高，可以投进黄河的浊流中。"于是，唐朝就这样灭亡了。

前代的皇帝，能够使每个人心思不同而不结为朋党的，没有谁比得上商纣王；能够禁止好人结为朋党的，没有谁比得上汉献帝；能够杀戮高洁之士所结朋党的，没有赶得上唐昭宗时代的，然而他们都因为动乱而亡国。互相赞美谦让而不猜忌的，没人比得上舜的二十二个大臣，舜也不加猜疑而全部任用他们。然而后人并没有责备舜被这二十二人所结的朋党蒙蔽，却赞美舜是贤明的圣君，就因为他能辨别君子和小人。周武王的时代，全国总共三千大臣结为一支朋党，从古到今结为朋党的人数之多、规模之大没有赶得上周朝的。但周朝因此而国家兴盛，原因就在于善良之士虽多却不感到满足。

唉！前代治乱兴衰的事迹，当皇帝的可以用来作为借鉴。

纵囚论[①]

【题解】

本文对唐太宗纵囚一事提出质疑,认为唐太宗的做法有悖人情法度,只不过是借此邀名而已,不足以为训,并明确地提出了"三王之治,必本于人情,不立异以为高,不逆情以干誉"这一论点。文章据史立论,层层辨析,论证充分,结论高远,警醒人心。

【原文】

信义行于君子,而刑戮施于小人。刑入于死者,乃罪大恶极,此又小人之尤甚者也;宁以义死,不苟[②]幸生,而视死如归,此又君子之尤难者也。方唐太宗之六年,录大辟囚三百余人[③],纵使还家,约其自归以就死。是以君子之难能,期小人之尤者以必能也[④]。其囚及期,而卒自归无后者。是君子之所难,而小人之所易也。此岂近于人情哉?

或曰:罪大恶极,诚小人矣,及施恩德以临之,可使变而为君子;盖恩德入人之深,而移人之速,有如是者矣。曰:太宗之为此,所以求此名也[⑤]。然安知夫纵之去也,不意[⑥]其必来以冀免,所以纵之乎?又安知夫被纵而去也,不意其自归而必获免,所以复来乎?夫意其必来而纵之,是上贼下之情也[⑦];意其必免而复来,是下贼上之心也。吾见上下交相贼,以成此名也,乌有所谓施恩德与夫

知信义者哉？不然，太宗施德于天下，于兹六年矣，不能使小人不为极恶大罪，而一日之恩，能使视死如归，而成信义，此又不通之论也。

然则何为而可？曰：纵而来归，杀之无赦，而又纵之，而又来，则可知为恩德之致尔。然此必无之事也。若夫纵而来归而赦之，可偶一为之耳；若屡为之，则杀人者皆不死，是可为天下之常法乎？不可为常者，其圣人之法乎？是以尧、舜、三王之治[8]，必本于人情，不立异以为高，不逆情以干誉[9]。

【注释】

①唐太宗贞观六年(632)，亲录系囚，见应死者，悯之，纵使归家，期以来秋来就死；仍敕天下死囚皆纵遣，使至期来诣京师。七年九月，囚皆自诣朝堂，上皆赦之。

②苟：苟且。

③录(lǜ)：宽省也。《汉书·隽不疑传》："录囚徒。"颜师古注："省录之，知情状有冤滞与不。"大辟：死刑。

④期：冀望。尤：甚也。

⑤言太宗纵囚，即以求恩德入人移人之名也。

⑥意：料也，臆度。

⑦贼：犹盗贼，窥伺人之物而取之。

⑧三王：夏禹、商汤、周文武也。

⑨干：求也。《书·大禹谟》："罔违道以干百姓之誉。"

【译文】

信义可以在君子中施行,而刑罚则在小人中施行。判处死刑的人,是罪大恶极的,这又是小人中特别坏的人;宁愿为正义而死,不愿苟且贪生,而视死如归,这在君子中也是很难做到的。唐太宗贞观六年,把判处死刑的犯人三百余人登记在册,放他们回家,约定好到期自动回来接受死刑。这是君子都难以做到的事,而希望小人中最坏的人能做到自然更难。到了规定的时间,那些囚犯自动回来而没有延误。这是君子难以做到的,而小人却轻而易举地做到了。这难道近于人情吗?

有人说:罪大恶极,确实是小人,如果对他们施以恩德而感化之,就可以使他们变为君子;因为恩德感化愈深入人心,人的转变速度就愈快,有过这样的事。我说:唐太宗之所以这样做,就是为了得到这种名声。可是怎么能知道他在放回囚犯时,没有料到他们因为希望可以赦免死罪而一定会回来,所以才放回他们呢?又怎么能知道那些被放回的囚犯,没有料到他们自动回来就一定会被赦免死罪,这才又回来呢?料想到囚犯一定会回来这才放他们回家,这是唐太宗从上面窥测到下面囚犯的内心想法;料想到一定会被赦免死罪这才回来,这是下面的囚犯在窥测上面的皇帝的内心想法。我从中看到的是上下互相窥测对方的内心想法才形成了这种名声,哪里还有皇帝施以恩德感化和囚犯遵守信义的事呢?不然的话,唐太宗在全国施行恩德,到这时已经六年了,却不能让小人不犯极恶大罪,只凭一天的恩德感化,就能使囚犯视死如归,而且坚守信义,这又是一种说不通的观点啊!

那么应该怎么去做才可以呢?我说:对放回家而又回来的囚犯,杀了他而不赦免,然后再放出一批囚犯,他们又回来了,这样才可以知道是被恩德感化所致的。然而这必定是不可能的事。对放出的囚犯，如果他们回来就赦免死罪，可以偶尔为之；如果经常这样去做，那么杀人犯都不会被处死，这可以作为国家的常法吗？不能作为国家的常法，这难道能说是圣人之法吗？所以说，尧、舜、三王治理国家，必本于合乎人情，不标新立异以为高明，不违背情理以来邀名。

墓　志

资政殿学士户部侍郎文正范公神道碑铭[1]

【题解】

范仲淹，字希文，北宋著名政治家、文学家。欧阳修从范仲淹为人处世、治理朝政、御边等方面，选取最能反映他“先天下至之乐而乐，后天下之忧而忧”的典型事例，突出范仲淹公而忘私的高贵品德。

【原文】

皇祐[2]四年五月甲子，资政殿学士、尚书户部侍郎汝南文正公薨于徐州[3]。以其年十有二月壬申，葬于河南尹樊里之万安山下[4]。

公讳仲淹，字希文。五代之际[5]，世家苏州，事吴越[6]。太宗皇帝时[7]，吴越献其地[8]，公之皇考从钱俶朝京师[9]，后为武宁军掌书记以卒[10]。公生二岁而孤，母夫人贫无依，再适长山朱氏[11]。既长，知其家世，感泣去，之南都[12]，入学舍，扫一室，昼夜讲诵。其起居饮食，人所不堪[13]，而公益自刻苦。居五年，大通六经之旨[14]，为文章论说必本于仁义。祥符八年[15]，举进士，礼部选第一，遂中乙科[16]，为广德军司理参军[17]，始归迎其母以养。及公既贵，天子赠公曾祖苏州粮料判官讳梦龄为太保[18]，祖秘书监讳赞时为太傅[19]，考讳墉为太师，妣谢氏为吴国夫人[20]。

公少有大节，于富贵、贫贱、毁誉、欢戚不一动其心，而慨然有志于天下。常自诵曰："士当先天下之忧而忧，后天下之乐而乐也。"[21]其事上遇人，一以自信，不择利害为趋舍。其所有为，必尽其力，曰："为之自我者当如是，其成与否，有不在我者，虽圣贤不能必，吾岂苟哉？"

天圣中[22]，晏丞相[23]荐公文学，以大理寺丞[24]为秘阁校理[25]。以言事忤章献太后旨[26]，通判河中府[27]。久之，上记其忠，召拜右司谏[28]。当太后临朝听政时，以至日大会前殿[29]，上将率百官为寿。有司已具，公上疏言："天子无北面，且开后世弱人主以强母后之渐。"其事遂已。又上书请还政天子，不报。及太后崩，言事者希旨，多求太后时事，欲深治之。公独以谓："太后受托先帝，保佑圣躬，始终十年，未见过失。宜掩其小故，以全大德。"[30]初，太后有遗命，立杨太妃代为太后[31]，公谏曰："太后，母号也，自古无代立者。"由是罢其册命。是岁，大旱蝗，奉使安抚东南[32]。使还，会郭皇后废[33]，率谏官、御史伏阁争[34]，不能得，贬知睦州[35]。又徙苏州。岁余，即拜礼部员外郎、天章阁待制[36]。召还，益论时政阙失，而大臣权幸多忌恶之。

居数月，以公知开封府[37]。开封素号难治，公治有声。事日益简，暇则益取古今治乱安危，为上开说。又为《百官图》以献，曰："任人各以其材而百职修，尧舜之治，不过此也。"因指其迁进迟速次序，曰："如此，而可以为公，可以为私，亦不可以不察。"由是吕丞相怒[38]，至交论上前，公求对辨，语切，坐落职知饶州[39]。明年，吕公亦罢。公徙润州[40]，又徙越州[41]。

而赵元昊反河西[42]，上复召相吕公，乃以公为陕西经略安抚副使[43]，迁龙图阁直学士[44]。是时，新失大将[45]，延州危[46]，公自请守鄜延捍贼[47]，乃知延州。元昊遣人遗书以求和，公以谓无事请和，难信，且书有僭号，不可以闻，乃自为书，告以逆顺成败之说，甚辩。坐擅复书，夺一官，知耀州[48]。未逾月，徙知庆州[49]。既而四路置帅[50]，以公为环庆路经略安抚招讨使[51]，兵马都部署[52]。累迁谏议大夫、枢密直学士[53]。

公为将，务持重，不急近功小利。于延州筑青涧城[54]，垦营田[55]，复承平、永平废寨[56]，熟羌归业者数万户[57]。于庆州城大顺[58]，以据要害，夺贼地而耕之。又城细腰、葫芦[59]，于是明珠、灭臧等大族[60]皆去贼为中国用。自边制久隳[61]，至兵与将常不相识。公始分延州兵为六将，训练齐整，诸路皆用以为法。公之所在，贼不敢犯。人或疑公见敌应变为如何。至其城大顺也，一旦引兵出，诸将不知所向，军至柔远[62]，始号令告其地处，使往筑城。至于版筑之用[63]，大小毕具，而军中初不知。贼以骑三万来争，公戒诸将："战而贼走，追勿过河！"已而贼果走，追者不渡，而河外果有伏。贼失计，乃引去，于是诸将皆服公为不可及。公待将吏，必使畏法而爱己。所得赐赉[64]，皆以上意分赐诸将，使自为谢。诸蕃质子[65]，纵其出入，无一人逃者。蕃酋来见[66]，召之卧内，屏人彻卫[67]，与语不疑。公居三岁，士勇边实，恩信大洽，乃决策谋取横山[68]，复灵武[69]，而元昊数遣使称臣请和，上亦召公归矣[70]。初，西人籍为乡兵者十数万[71]，既而黥以为军[72]。惟公所部，但刺其手，公去兵罢，独得复为民。其于两路[73]，既得熟羌为用，使以守边；因徙屯兵就食内地[74]，而纾西人馈輓之劳[75]。其所设施，去而人德之，与守其法不敢变者，至今尤多。

自公坐吕公贬，群士大夫各持二公曲直。吕公患之，凡直公者，皆指为党，或坐窜逐[76]。及吕公复相，公亦再起被用，于是二公欢然相约戮力平贼。天下之士，皆以此多二公，然朋党之论，遂起而不能止[77]。上既贤公可大用，故卒置群议而用之。

庆历三年春，召为枢密副使[78]。五让不许，乃就道。既至数月，以为参知政事[79]。每进见，必以太平责之。公叹曰："上之用我者至矣！然事有先后，而革弊于久安，非朝夕可也。"既而上再赐手诏，趣使条天下事[80]。又开天章阁，召见赐坐，授以纸笔，使疏于前。公惶恐避席，始退而条列时所宜先者十数事上之。其诏天下兴学，取士先德行不专文辞，革磨勘例迁以别能否[81]，减任子之数而除滥官[82]，用农桑考课守宰等事。方施行，而磨勘、任子之法，侥幸之人皆不便，因相与腾口[83]。而嫉公者，亦幸外有言，喜为之佐佑[84]。会边奏有警，公即请行，乃以公为河东、陕西宣抚使[85]。至则上书愿复守边，即拜资政殿学士，知邠州[86]，兼陕西四路安抚使。其知政事，才一岁而罢，有司悉奏罢公前所施行而复其故。言者遂以危事中之，赖上察其忠，不听。

是时，夏人已称臣，公因以疾请邓州[87]。守邓三岁，求知杭州，又徙青州。公益病，又求知颍州[88]。肩舁至徐，遂不起，享年六十有四。方公之病，上赐药存问。既薨，辍朝一日。以其遗表无所请，使就问其家所欲，赠以兵部尚书[89]，所以哀恤之甚厚。

公为人，外和内刚，乐善泛爱[90]。丧其母时尚贫，终身非宾客，食不重肉。临财好施，意豁如也[91]。及退而视其私，妻子仅给衣食。其为政，所至民多立祠画像。其行己临事，自山林处士、里闾田野之人，外至夷狄，莫不知其名字，而乐道其事者甚众。及其世次、官爵[92]，志于墓[93]、谱于家、藏于有司者，皆不论著，著其系天下国家之大者，亦公之志也欤！

铭曰：

范于吴越，世实陪臣[94]。俶纳山川，及其士民。范始来北，中间几息。公奋自躬，与时偕逢。事有罪功，言有违从。岂公必能，天子用公。其艰其劳，一其初终。夏童跳边[95]，乘吏怠安。帝命公往，问彼骄顽。有不听顺，锄其穴根。公居三年，怯勇隳完。儿怜兽扰[96]，卒俾来臣。夏人在廷，其事方议。帝趣公来，以就予治。公拜稽首，兹惟艰哉！初匪其艰，在其终之。群言营营[97]，卒坏于成。匪恶其成，惟公是倾。不倾不危，天子之明。存有显荣，殁有赠谥。藏其子孙，宠及后世。惟百有位，可劝无怠。

【注释】

①资政殿学士：官名。宋真宗景德二年(1005)，王钦若罢参政，特置

此职以宠之。按宋时殿学士之职，资望极峻，无吏守职掌，惟出入侍从备顾问而已，皆以宠辅臣之去位者。户部侍郎：官名，为户部尚书之贰。户部：掌户口财赋，即今之财政部。文正：范仲淹谥号。神道碑：立于墓前孔道，以纪死者生平，末系以韵语曰铭，铭前散文，即序也。

②皇祐：宋仁宗年号。

③户部隶尚书省，故称尚书户部侍郎。汝南：系仲淹封郡，今河南汝南东南，宋曰蔡州汝南郡。徐州，今江苏铜山，宋属京东西路。

④河南：今河南洛阳，凡前代帝王所都皆曰尹，宋以河南为西京，故置尹掌治京辅众务。

⑤五代：后梁、后唐、后晋、后汉、后周。

⑥唐昭宗时，钱镠为镇海节度使，并有两浙，后梁太祖封为吴越王。

⑦太宗：名光义，宋太祖弟。

⑧太宗太平兴国三年(978)，吴越王钱俶上表献其境内十三州、一军、八十六县之地。

⑨皇考：谓亡父也，皇，大也，生曰父母，死曰考妣。钱俶：文瓘子，镠孙。

⑩武宁军：即徐州，唐为武宁军节度。掌书记：官名，司节度使笺奏。时陈洪进亦纳土，诏授武宁军节度使。

⑪长山：今山东邹平，宋属京东东路淄州府。

⑫南都：南京，宋以应天府为南京，属京东西路，今河南商丘。

⑬仲淹少时读书僧舍，日煮粟米二升，作一器，刀画为四，早晚断虀数茎啖之。

⑭六经：诗、书、易、礼、乐、春秋。

⑮祥符：即大中祥符，宋真宗年号。

⑯宋制，礼部贡举，设进士等科，秋解，冬集，春试，合格及第者，列名放榜于尚书省。乙科，考试科目之称，唐制进士有甲乙二科，乃试题难易之分，非考试种类之目。仲淹举进士，从其母改适之姓，名朱说，后为兖州推官，始复姓更名。

⑰广德军：今安徽广德，宋属江南东路。司理参军：官名，宋置，为郡之属官，掌狱讼鞫勘之事。

⑱粮料判官：官名，唐季以三司大将军为都督粮料使，判官即其僚属，宋初尚缘其制，后始置粮料院主之。太保：宋承唐制，以太师、太保、太傅为三师，为宰相、亲王、使相加官。

⑲秘书监：官名，宋设秘书省，以监为长官，掌古今经籍图书，及国史、实录、天文、历数之事。

⑳吴：今淮泗以南，及浙江嘉湖诸地。宋为浙西路。国夫人：妇人封号也，唐制定文武官一品及国公母妻为国太夫人、国夫人，宋因之。

㉑仲淹作《岳阳楼记》有“先天下之忧而忧，后天下之乐而乐”两语，言以天下为己任，故忧常居先，而乐则居后也。

㉒天圣：仁宗年号。

㉓晏丞相：名殊，字同叔，临川人，仁宗时为相。善知人，知应天府时，兴建学校为诸州倡，延仲淹以教生徒。

㉔大理寺丞：官名，宋置大理寺推丞四人，断丞六人，分判狱事。

㉕秘阁校理：官名，宋太宗端拱元年(988)，诏就崇文院中堂建秘阁，择三馆——史馆、昭文馆、集贤院真本书籍万余卷，及内出古画墨迹藏其中。淳化元年(990)，置校理以掌其事，以京朝官充之。

㉖章献太后：姓刘氏，真宗德妃，攘司寝李氏子为己子，即仁宗也。祥符五年(1012)，立为皇后。仁宗立，尊为太后。

㉗通判：官名。宋制，诸州郡有通判，与知府、知州共治政事。河中

府：今山西永济，宋属陕西永兴军路。

㉘右司谏：官名，属门下省，掌规谏讽喻。

㉙仁宗每以岁旦冬至，率百官上太后寿于会宁殿，遂同御大安殿受朝。

㉚仁宗亲政，言者多追诋太后时事，仲淹以为言，上曰："此亦朕所不忍闻也。"诏戒中外，毋得辄言皇太后垂帘日事。

㉛杨太妃：益州郫人，真宗淑妃，仁宗在乳褓，章献使妃护视，及即位，尊为太妃。

㉜唐制，诸州水旱，则有巡察、安抚诸使巡省天下。宋初不常置，咸平二年(999)始有之。东南：江淮诸路，今江苏、安徽之地。

㉝郭皇后：郭崇女孙，仁宗后，无宠，尚、杨两美人得幸。一日，尚氏在上前语侵后，后忿批之，误批上颊，上大怒，用吕夷简议，废后居长宁宫。

㉞郭后废，御史中丞孔道辅率谏官仲淹等十人，伏阁请对，不听。

㉟知：知州，官名。宋初分命朝臣出守列郡，号权知军(兵政)州(民政)事，其后文武参为知州军事，掌总理郡政。睦州：今浙江建德，宋属浙西路。

㊱礼部员外郎：官名。宋制，礼部员外郎一人，参预礼乐、祭祀、朝会、宴享、学校、贡举之事。天章阁待制：官名。宋天禧二年(1018)，建天章阁以安真宗御集。天圣八年(1030)，置待制，以备侍从顾问，与其他殿阁待制同。

㊲知：知府，官名。唐制，于京都及创业驻幸之地，特置为府，置知府事。开封府：今河南开封，宋为东京，属京畿路。

㊳吕丞相：名夷简，字坦夫，寿州人。仁宗时，同平章事，卒谥文靖。

㊴仲淹上《百官图》，夷简不悦，他日论建都事，夷简言仲淹迂阔，务名

无实。仲淹乃献帝王好尚、选贤任能、近名、推委四论，讥切时弊。夷简诉仲淹越职言事，离间君臣，引用朋党，仲淹对益切，由是坐贬。饶州：今江西鄱阳，宋属江南东路。

㊵润州：今江苏镇江，宋属浙西路。

㊶越州：今浙江绍兴，宋属浙东路。

㊷赵元昊：西夏主，本姓拓跋。唐末，拓跋思恭镇夏州，统银、夏、绥、宥、静五州地，封夏国公，赐姓李，传至继捧，纳土于宋。其族弟继迁，降于契丹，封为夏王，后请降，赐姓名赵保吉，嗣复屡叛，传子德明，纳款，封为西平王。仁宗时，元昊嗣位，取夏、银、绥、宥、静、灵、盐、会、胜、甘、凉、瓜、沙、肃诸州，遂称帝，国号大夏。河西，谓黄河以西之地，今陕西、宁夏诸地。

㊸陕西：今陕西，宋为陕西永兴军路。经略安抚副使：官名，掌一路兵民之事。帅臣任河东、陕西、岭南诸路，职任绥御戎夷，则为经略安抚使。副使，其贰也。

㊹龙图阁直学士：官名。祥符中，建龙图阁以奉太宗御书御集，及典籍、图书、宝瑞之物，及宗正寺所进属籍、世谱。景德四年(1007)，置直学士。宋制，学士资浅者，为直院，名曰直学士。

㊺康定元年(1040)，元昊寇延州，执副总管刘平、石元孙，平骂贼遇害。

㊻延州：今陕西延安，宋属陕西永兴军路。

㊼鄜州：今陕西富县，宋属陕西永兴军路。

㊽耀州：今陕西耀州，宋属陕西永兴军路。

㊾庆州：今甘肃庆阳，宋属陕西永兴军路。

㊿庆历元年(1041)十月，分秦凤、泾源、环庆、鄜延为四路，以韩琦知秦州，王沿知渭州，仲淹知庆州，庞籍知延州，各兼经略安抚招讨

使，诏分领之。

51环庆路：辖环州、庆州之地。环州，今甘肃环县，宋属陕西永兴军路。庆州见前。经略安抚招讨使：官名，经略安抚见前；招讨，掌招收讨杀盗贼之事。

52兵马都部署：官名，掌一路禁旅、屯戍、边防训练之政令，即都总管。

53谏议大夫：官名，见前右司谏注下。枢密直学士：官名，宋置枢密院，掌军国机务、兵防边备、戎马之政令，出纳密命，以佐邦治。直学士，见前。

54青涧城：今陕西清涧，时塞门、承平诸砦既陷，用种世衡策，于延安东北二百里故宽州废垒，筑城御贼，赐名青涧。

55集流民，官给庐舍，使之为官力田，曰营田。

56承平、永平：在今陕西延川西北，按《九域志》："延川县有永平等九寨。"

57熟羌：《宋史》作属羌，羌之归化者。羌：西戎种族名。初元昊阴诱诸羌为助，仲淹行边，犒赏条约之，皆乐为用，呼仲淹为"龙图老子"。

58大顺：在今甘肃庆阳北。

59细腰、葫芦：在今甘肃环县西，皆为城寨名，以御西夏而建。

60明珠、灭臧：羌种，环原之间，明珠、灭臧、康奴三族为大，其北有二州通西界，仲淹筑细腰城以断其路。

61隳(huī)：毁也。

62柔远：砦名，在今甘肃庆阳北。

63版筑：筑墙之具，以两版相夹，置土其中，以杵筑之。

64赉(lài)：赐予也。

65诸番：谓西方各族。质子：诸番内附，各遣其子弟来居中国，以取信也。

⑯蕃酋：西方各族的族长。

⑰屏：退。彻：取消。卫：侍卫。

⑱横山：砦名，在今甘肃庆阳北。

⑲灵武：今宁夏灵武，唐属关内道，宋时没于西夏。

⑳元昊用兵久渐困弊，遣李文贵、贺从勖上书乞和。庆历三年(1043)，册封元昊为夏国主，召还韩琦、范仲淹等。

㉑籍：录。乡兵选自户籍，或士民应募，在所团结训练，以为防守之兵。

㉒黥：墨刑，刺字于额，涅之以墨。

㉓两路：即环庆、鄜延。

㉔屯兵：驻扎之兵。

㉕馈：馈饷；輓：輓粟。谓转输粮食。

㉖仲淹贬饶州时，余靖、尹洙、欧阳修等，皆以直仲淹见逐。御史韩缜，请以仲淹朋党榜朝堂，从之。

㉗康定元年(1040)，夷简复相，请超迁仲淹，上以为长者。仲淹还朝，亦为书自咎，解仇而去。故修碑文有此数语。时仲淹子尧夫不谓然，自削去一段。修不乐，谓苏洵曰："范公碑为其子弟擅于石本改动文字，令人恨之。"

㉘庆历：仁宗年号。枢密副使：官名，为枢密使之贰。

㉙参知政事：官名，唐制，宰相亦称参知政事，宋以之为副宰相。

㉚趣：催促。条：条陈。

㉛磨勘：犹考绩。例迁：循例升迁。

㉜任子：公卿子弟由父兄之荫而得官者。

㉝腾口：张口骋辞貌。

㉞佐佑：谓辅助。

㉟河东：今山西黄河以东诸地，宋为河东路。宣抚使：官名，宋不常置，有军旅大事，则命执政大臣为之。

㊱邠州：今陕西彬县，宋属陕西永兴军路。

㊲邓州：今河南邓州，宋属京西南路。

㊳颍州：今安徽阜阳。舁：舆车。

㊴兵部尚书：官名，宋制，掌兵卫、武选、车辇、甲械、厩牧之政令。

㊵泛：宽博。

㊶豁如：豁达。

㊷仲淹历官推诚保德功臣、资政殿学士、金紫光禄大夫、尚书户部侍郎、护军、汝南郡开国公，食邑二千三百户，食实封六百户，赠兵部尚书，谥文正，累赠太师、中书令兼尚书令，追封楚国公。

㊸仲淹墓志铭，为富郑公弼所撰。

㊹古者诸侯之大夫，称于天子曰陪臣。

㊺童：指赵元昊。跳边：谓侵扰边境。

㊻谓怜之如儿，驯之如兽。扰：驯养。

㊼《诗·小雅·青蝇》："营营青蝇。"营营：往来貌。喻谗言。

【译文】

皇祐四年(1052)五月甲子日，资政殿学士、尚书户部侍郎、汝南郡公范文正公在徐州逝世。同年十二月壬申日，安葬在河南尹樊里的万安山下。

公名讳仲淹，字希文。在五代之际，世代居住在苏州，事奉吴越。太宗皇帝时期，吴越献土归宋，范公的父亲跟随吴越王钱俶到京师朝拜天子，后来卒于武宁军掌书记任上。范公两岁时成了孤儿，他的母亲贫困没有依靠,就改嫁到长山的朱家。范公长大后,知道了自己的身世,哭着离开长山,到了南都,来到学堂,打扫了一间房子,日夜讲习诵读。他的起居饮食,别人都忍受不了,但是范公对自己却非常严格,越来越刻苦。过了五年,精通了六经的主旨,写文章、论述一定以仁义为本。大中祥符八年,应进士科考试,在礼部考试中获得第一,于是考中了乙科,担任广德军司理参军,这才迎回母亲奉养。等到范公地位尊贵,天子追赠范公曾祖苏州粮料判官范梦龄为太保,祖父秘书监范赞时为太傅,父亲范墉为太师,母亲谢氏为吴国夫人。

范公年轻的时候就有高尚的节操,富贵、贫贱、毁誉、欢戚,没有哪一项能让他动心,却慷慨激昂有以天下为己任的志向。经常诵读这样的警句来勉励自己:"读书人应当先天下之忧而忧,后天下之乐而乐。"他无论是侍奉天子还是和他人相处,完全按照自己的原则,不因对自己有利或有害而决定取舍。他的所作所为,必定是竭尽全力,他说:"由我做的就应该如此,一件事情成功与否,并不是我能左右的,即使是古代圣贤也不能说必定成功,我哪里敢苟且马虎啊?"

天圣年间,丞相晏殊向皇帝推荐范公的文学才华,于是以大理寺丞的身份担任秘阁校理。因为言事触怒了章献皇太后,被贬为河中府通判。过了很长时间,皇上念起他的忠诚,就征召并授予他右司谏的官职。当太后临朝听政的时候,冬至在前殿大会众臣,皇上将要率领文武百官为太后祝寿。有关官员已经做好了准备,范公上书说:"天子没有面向北方的道理,何况还要形成后代看轻皇上而仰重太后的风气。"于是此事作罢。范公又上奏章请求太后把政权交还给天子,没有答复。等到太后去世,奏事的人迎合皇上的旨意,把太后当朝时的很多事情都拿出来追究。唯独范公认为:"太后受先皇之托,护佑天子,十多年来,自始至终,没有什么大的过失。应该掩盖她小的事故，而保全她的高尚品德。”起初，太后有遗命，要册立杨太妃继为太后，范公进谏说：“太后，是皇帝母亲的名号，自古以来都没有代立之事。”于是就取消了对杨太妃的册命。这一年，发生来了大的旱灾和蝗灾，范公奉命安抚东南灾民。完成使命回京，正赶上郭皇后被废，他率领谏官、御史跪在殿里谏诤，没有取得成功，被贬到睦州担任知州。又改任到苏州。一年多后，朝廷又任命他为礼部员外郎、天章阁待制。被召回京城后，范公更加积极地议论时政的得失，大臣权贵大多都忌恨讨厌他。

过了几个月，任命范公为开封知府。开封一向号称难以治理，范公的政绩却蜚声四方。每天的政事越来越简明，有空的时候就取来古今治乱安危的情况向皇上讲解。又作了《百官图》献给皇上，说：“任命官员要以其才能为依据，那么百官都能称职，尧、舜治理天下也不过如此。”并针对官员的升迁快慢和顺序说：“照此办理可以为公，可以谋私，也不能不详察。”因此惹怒了丞相吕夷简，以至于朝堂上有人交相在天子面前论说，范公也强烈请求为自己辩论，以至于因此被贬到饶州任知州。第二年，吕夷简也被罢免了。范公调任润州，又调到越州。

赵元昊在河西反叛，皇上又重新任命吕夷简担任宰相，而任命范公为陕西经略安抚副使，升迁龙图阁直学士。这时候，刚折损了大将，延州危急。范公请求亲自镇守鄜延以防御敌人，于是改任为延州知州。赵元昊派人送信求和，范公认为无缘无故请和，难以为信，而且信中有不被朝廷承认的伪号，不便于给皇上看，于是亲自回信，告诉赵元昊逆顺成败的道理，非常精辟。因为擅自回信，被降一级，贬为耀州知州。不到一个月，又调任庆州知州。不久陕西四路都设经略安抚招讨使，范公被任命为环庆路经略安抚招讨使、兵马都部署，多次升迁后为谏议大夫、枢密直学士。

范公作为将帅,主要讲究持重,不追求小的功利。在延州筑起了青涧城,开垦营田,修复了承平、永平的废弃营寨,熟羌回到家乡操持旧业的有好几万户。在庆州筑大顺城,把持要害地区,抢夺敌人的土地来耕种。又建成了细腰城、葫芦城,于是明珠、灭臧等大部落都离开敌人为大宋效力。边防制度废弛已经很久了,以至于士兵和将领经常互不相识。范公于是把延州的士卒分为六将,训练齐整,各路兵马都采用了范公的方法。范公所在的地方,敌人不敢侵犯。有人怀疑范公遇敌时能否应变得当。当时修筑大顺城,一旦带兵出城,诸将都不知道要去哪里,直到大军到了柔远,才发明号令,告诉他们要到的地方,然后开始筑城。至于筑城的用度,不论大小都已齐备,而军中起初都不知道。敌军以三万骑兵来争夺,范公告诫诸将:“战事一起,敌军便将退走,不要过河追击。”不久敌人果然一战便退,追击敌人的部队没有过河,而河那边果然有埋伏。敌人失算,只得撤退。于是诸将都佩服范公,认为比不上他。范公对待将吏,一定要让他们畏惧法纪,爱戴自己。他所得到的赏赐,都以天子的名义分发给诸将,让他们自己去感谢天子。诸蕃部作为人质的世子,任由他们出入,没有一个逃跑的。蕃部的头领前来拜见,就把他们召到卧室内,让其他人都退下,撤离卫士,然后和他们交谈,从不怀疑会对自己不利。范公在这里驻守了三年,将士勇猛敢战,边防坚实,对蕃部建立了恩信,于是决定谋取横山,收复灵武,而赵元昊多次派使者称臣请和,皇上也就把范公召了回去。起初,西部百姓被籍为乡兵的有十多万人,后来都被在脸上刻墨而为军,只有范公的部队,仅在手上刺字,范公离去后,部队遣散,只有这一部人得以重新恢复平民身份。范公在陕西两路,既已取得了熟羌的效力,使他们来守卫边境,因此能够把军队迁到内地就食，这样大大减轻了陕西百姓运输粮食的劳苦。他所实行的措施，离开后仍然使当地百姓受益，继任者守其法而不敢更改，这种情况至今还比较多见。

当初范公因吕夷简之故被贬，那些士大夫就为范、吕二公谁是谁非而争论不停。吕公担心这事，凡是说范公是正确的人都被指责为结党营私，有的官员因此被贬黜放逐。一直到吕公恢复宰相的职务，而范公也幸而被再次起用，于是二公欣然相互约定，齐心协力讨平叛贼。天下士人都因为这件事而更加佩服二公。但关于结党营私的议论，从此以后就不断提起再也不能制止。皇上既然认为范公有贤才，所以置众人议论于不顾而对范公信任不疑。

庆历三年(1043)春天，朝廷征召范公担任枢密副使，他五次推辞都被朝廷拒绝，于是才上任。到任才数月，又任命他为参知政事。每次进见，皇上必然问及如何才能天下太平的问题。范公非常感动，说："皇上对我的信任真可谓到了极致了，但是做事要有先后，况且在长治久安的情况下改革弊端，不是一朝一夕就能成功的。"后来皇上又赐给他手诏，催促让他赶快条列要办的国家大事，又在天章阁召见他，并赐给他座位，授予纸笔，让他在当面写奏章。范公惶恐不安，连忙避开赐予的席位，回去后才条列了当时应该先办理的十多件事献给皇上。于是诏告天下：兴办学校，选拔士人首先根据德行而不单纯根据文辞，改革磨勘、例迁制度以考核官员的才能，减少任子的数量以减少过多的官吏，以农桑方面的政绩考核地方长官等一系列措施。这些改革措施刚刚施行，有关磨勘、任子制度的改革使侥幸之人深感不便，因此相互勾结，制造舆论。而妒忌范公的人也因外间有这些舆论而高兴自己获得支持。恰逢边境报告有警情，范公于是请求前往，于是任命范公为河东、陕西宣抚使。范公到任后就上书说甘愿镇守边境，于是又任命他为资政殿学士、邠州知州，兼任陕西四路安抚使。范公担任参知政事才一年就被罢免，有关部门上奏请求将范公先前实行的新法一并废除，恢复原来的旧法。怂恿此事的人又以足以危害范公的事情中伤他，全赖皇上深明范公的一片忠心，没有听从。

这时候，西夏再度称臣，范公又因为有病，请求调往邓州。在邓州任职三年，又请求担任杭州知州，后来又调任青州知州。范公的病情越来越严重，又请求担任颍州知州。他乘肩舆到徐州，就一病不起，享年六十四岁。范公得病的时候，皇上赏赐药物并慰问病情。范公去世后，皇上停止上朝一天。因为先生的遗表没有任何请求，于是朝廷派人到先生家问他的家人有什么要求，并追赠先生为兵部尚书，哀恤范公之意非常深厚。

范公为人，外表和气，实则很讲原则，乐于行善，关心爱护百姓。他母亲去世的时候，家里还很穷，此后终身除招待宾客之外，一餐从不吃两道荤菜。有了财物就好施舍，一点也吝惜。如果我们到他家观察一下，就会发现他的妻子儿女仅仅温饱而已。他处理政事，所到之处百姓大多都给他立祠并画像以示敬意。他的品行，令山林处士、街巷田野之人，以至外国夷狄，没有不知道他的大名的，而且乐于称道他的事迹的人非常多。关于他的家族世系、官爵，凡已记载于墓志、家谱并且已在官府收藏的，这里就不再论述了，而仅将范公关系天下、国家的重大言行记载于此，这也符合范公的遗志！碑铭的内容是：

范氏在吴越地区，世代担任陪臣。钱俶献给朝廷吴越的土地，以及当地的百姓。范氏来到北方后，家道曾经中衰。先生自己勤奋努力，恰恰躬逢圣明。做事有罪有功，言论有逆有顺。难道范公全都能行吗，而终获天子任用。备尝艰苦辛劳，一生不改初衷。西夏的小儿在边境闹事，趁着官吏怠惰松懈。皇上命范公前往，讨伐骄横顽敌。胆敢不服从天子，就覆其巢锄其根。范公守边三年，懦夫都成了勇士，毁弃的制度重新完善。西夏人可怜如孤儿，又被野兽困扰，最终来称臣。西夏人既已臣服，天下大事待商议。皇上催促范公快回朝，来协助治理天下。范公跪拜朝见天子，这实在是很艰难啊！此事有何难，不在开始，而是在能否坚持到底。群小诽谤的声源源不断，最终破坏了已经施行的大事。群小并非讨厌新政将有所成，实是一心要将范公倾覆。范公得以不倾不危，全赖天子圣明。生时尊荣显赫，死后追谥文正。荫护自己的子孙，使后世皆有荣宠。在朝百官唯范公堪称楷模，激励大家不要懒惰，努力进取。

石曼卿墓表[1]

【题解】

这篇墓表先写人物性格，一个不合于时、颓然自放的形象跃然纸上；然后叙述曼卿生平，突出其才能出众、心地光明、留心边事，让欧阳修高度推崇敬佩；对曼卿的不得重用和中寿而死，流露出无限哀思。

【原文】

曼卿讳延年，姓石氏，其上世为幽州人[2]。幽州入于契丹[3]，其祖自成始以其族间走南归，天子嘉其来，将禄之，不可，乃家于宋州之宋城[4]。父讳补之，官至太常博士[5]。

幽燕俗劲武[6]，而曼卿少亦以气自豪。读书不治章句[7]，独慕古人奇节伟行非常之功，视世俗屑屑[8]，无足动其意者。自顾不合于时，乃一混于酒，然好剧[9]饮大醉，颓然自放[10]，由是益与时不合。而人之从其游者，皆知爱曼卿落落[11]可奇，而不知其才之有以用也。年四十八，康定二年三月四日，以太子中允、秘阁校理，卒于京师[12]。

曼卿少举进士，不第，真宗推恩[13]，三举进士皆补奉职[14]。曼卿初不肯就，张文节公[15]素奇之，谓曰："母老乃择禄邪?"曼卿矍[16]然起就之，迁殿直[17]。久之，改太常寺太祝[18]，知济州金乡县[19]。叹曰："此亦可以为政也!"县有

治声，通判乾宁军[20]。丁母永安县君李氏忧[21]，服除，通判永静军[22]，皆有能名。充馆阁校勘[23]，累迁大理寺丞，通判海州[24]，还为校理。

庄献明肃太后[25]临朝，曼卿上书请还政天子。其后太后崩，范讽[26]以言见幸，引尝言太后事者，遽得显官。欲引曼卿，曼卿固止之，乃已。

自契丹通中国[27]，德明尽有河南而臣属[28]，遂务休兵养息，天下晏然，内外弛武三十余年。曼卿上书言十事，不报。已而元昊反，西方用兵，始思其言，召见。稍用其说，籍河北[29]、河东、陕西之民，得乡兵数十万。曼卿奉使籍兵河东，还，称旨，赐绯衣银鱼[30]。天子方思尽其才，而且病矣。既而闻边将有欲以乡兵捍贼者，笑曰："此得吾粗也。夫不教之兵，勇怯相杂，若怯者见敌而动，则勇者亦牵而溃矣。今或不暇教，不若募[31]其敢行者，则人人皆胜[32]兵也。"

其视世事，蔑[33]若不足为，及听其设施之方，虽精思深虑不能过也。状貌伟然，喜酒自豪，若不可绳[34]以法度。退而质其平生趣舍大节[35]，无一悖于理者。遇人无贤愚，皆尽忻欢。及可否天下是非善恶，当[36]其意者无几人。其为文章，劲健称[37]其意气。有子济、滋，天子闻其丧，官其一子，使禄其家。既卒之三十七日，葬于太清之先茔。

其友欧阳修表于其墓曰：

呜呼！曼卿！宁自混以为高，不少屈以合世，可谓自重之士矣。士之所负者愈大，则其自顾也愈重；自顾愈

重，则其合愈难。然欲与共大事，立奇功，非得难合自重之士，不可为也。古之魁雄之人，未始不负高世之志，故宁或毁身污迹[38]，卒困于无闻。或老且死而幸一遇，犹克[39]少施于世。若曼卿者，非徒与世难合，而不克所施，亦其不幸。不得至乎中寿[40]，其命也夫！其可哀也夫！

【注释】

①墓表：即墓碑，为文以表其人，故曰表。

②幽州：今北京大兴西南，唐属河北道，后唐州名。

③后晋天福元年(936)，石敬瑭即位，割燕云等十六州之地赂契丹，幽州始入于辽。

④宋州：今河南商丘南，宋升为应天府，号南京，属京西路。宋城：今河南商丘南，宋属应天府。

⑤太常博士：官名，宋置太常寺博士四人，掌定五礼仪式，撰定谥文，监视祠事仪物，掌凡导引之事。

⑥燕：今北京昌平。劲：刚健。

⑦章句：言分其章节句读。汉夏侯胜非其从子建曰："建所谓章句小儒，破碎大道。"

⑧屑屑：烦细。

⑨剧：多。

⑩颓然：颓放不羁貌。

⑪落落：不相合貌，又坦白率真。

⑫康定：宋仁宗年号。太子中允：官名，太子官属，后汉置，宋以为阶官。

⑬真宗：名恒，宋太宗子。

⑭真宗时，录三举进士，以为三班奉职，曼卿为右班殿直。三班奉职，官名，宋时武臣职官，分为三班，曰东班、西班、横班。凡仕者先为三班借职，转三班奉职，以次递迁至节度使。

⑮张文节公：名知白，字用晦，沧州清池人。真宗时，参知政事，迁枢密副使。仁宗朝，以工部尚书、同平章事。

⑯矍：受惊的样子。

⑰殿直：官名，宋置，武臣之侍值殿廷者，有左班右班之分。

⑱太常寺太祝：官名，宋置太常寺太祝一名，掌读册辞，授抟黍，以嘏告饮福，则进爵酌酒，受其虚爵。

⑲济州：今山东济宁，宋属京东西路。金乡县，今山东金乡，宋属济州。

⑳乾宁军：今河北青县，宋属河北东路。

㉑永安县：今河南巩义西南，宋属京西北路河南府。县君：妇人封号，宋制文武官五品母为县太君妻为县君。

㉒永静军：今河北东光，宋属河北东路。

㉓馆阁校勘：官名，宋制以昭文馆、史馆、集贤院为三馆；阁，指秘阁及天章、龙图诸阁而言。皆藏经籍图书及御集，置修撰、直馆阁、校理、校勘等官以司之。

㉔海州：今江苏东海，宋属淮南东路。

㉕庄献明肃太后：即真宗刘后，仁宗即位，尊为皇太后。

㉖范讽：字补之，齐州人。仁宗时，官御史中丞。

㉗契丹：国名，东胡种，后梁时，耶律阿保机并有契丹八部，破奚及渤海，侵室韦及女真，奄有今东三省、内蒙古、蒙古国及河北北部之地。宋初屡入寇，景德元年(1004)，真宗自将御之于澶州，结盟罢兵，以兄礼事帝，宋岁赠银十万两，绢二十万匹，自是通问不绝。

㉘德明：西夏主，赵元昊之父，宋封为西平王。河南：即黄河以南，环庆、灵武诸地。

㉙河北：即今河北及河南、山东，黄河以北之地，宋为河北路。

㉚绯衣银鱼：唐制，四品官服深绯，五品官服浅绯。鱼，鱼袋，亦唐制，始曰鱼符，左一右二，左者进内，右者随身，刻官姓名，出入合之，以为符契，因盛以袋，故曰鱼袋。宋因之，以金银饰为鱼形，公服则系于带而垂于后，以明贵贱。凡服绯者饰以银，故曰银鱼。

㉛募：召集，召集志愿当兵者，给以直，使常任兵役，谓之募兵。

㉜胜：任也。

㉝蔑：小，轻视之意。

㉞绳：所以为直之具，犹度也。

㉟质：问也。趣：通“趋”。舍：舍弃。

㊱当：合也。

㊲称：合，适宜。

㊳毁身污迹：谓佯狂自秽。

㊴克：能。

㊵中寿，见《左传》、《庄子》：“中寿八十。”《淮南子》：“凡人中寿七十岁。”

【译文】

曼卿名延年，姓石，他的祖先是幽州人。幽州被北方的契丹占领后，他的祖先自成率族人走小路南归中原，大宋天子对他们南归非常嘉许，准备授予官职，没有接受，于是在宋州的宋城定居下来。曼卿的父亲名叫补之，官至太常博士。

幽燕一带民俗刚劲勇武，石曼卿年少时也豪气逼人。读书不研究章句之学，只仰慕古代那些有奇伟的节操品行并建立过非同寻常功勋的人，看轻世俗之人所追求的一切，心中不为所动。自认为跟时代不相合，于是整日借酒混日子，且喜欢痛饮大醉，颓废地放纵自己，因此更加与时代不相合。那些跟他交游的人，都以为曼卿气度卓异超群而令人喜爱，却不知道他的才华可以为世所用。四十八岁那年，即康定二年(1041)二月四日，在太子中允、秘阁校理任上，在京师病故。

曼卿年轻时曾参加进士科举，但没有中第，真宗皇帝广施恩惠，凡三次参加科举的人都授予奉职。曼卿开始不肯接受，张文节公一向以他为奇才，对他说："你母亲年事已高，你还要到别处选择俸禄高的职位吗?"曼卿惊视而起，同意就职，后调任殿直。过了很久，改任太常寺太祝，任济州金乡县知县。曼卿感叹说："这里也可以施展治理国家的才华啊!"治理金乡政绩卓著，任乾宁军通判。因为母亲永安县君李氏服丧而离职，服丧期满后，任永静军通判，都得到好评。后充任馆阁校勘，多次升迁而至大理寺丞，出任海州通判，调回朝廷后充任秘阁校理。

庄献明肃太后当朝处理国政，曼卿上书，请求太后还政天子。后来太后去世，范讽因进言符合天子旨意被宠信，推荐那些曾经为太后还政天子一事进言的人，那些人很快得到了高官厚禄。范讽还要推荐曼卿，曼卿坚决推辞，才作罢。

自从契丹与中原通好，西夏主德明在取得整个河西地区之后也对朝廷表示臣服，大宋就推行休兵养息政策，天下太平，从中央到地方军备废弛三十余年。曼卿上书论述十件大事，没有引起重视。不久元昊反叛，大宋向西边用兵，这才想起曼卿曾上书论述这方面的问题，于是召见了曼卿。然后开始采纳他的主张，在河北、河东、陕西百姓中征兵，得到乡兵数十万人。曼卿奉命出使河东征兵，完成使命后回朝，朝廷很满意，赐给他绯衣银鱼。皇上正想充分发挥他的才智，他却病倒了。不久听说有一位边将想率领乡兵抵御敌人，曼卿笑着说："这只领悟了我的表面意思。没有经过训练的士兵，勇敢的和胆小的混杂在一起，假如胆小的见到敌人就动摇溃逃，那么勇敢的也会跟着溃逃。如果现在来不及训练，不如招募那些敢于上阵的，这样招来的人个个都是强兵。"

他看待世事，轻得像不值得做似的。听了他设想的方案，即使再深思熟虑，也不能超过他。他仪表英俊高大，喜欢饮酒，性格豪爽，表面看去好像不可用法度来约束他。当衡量其生平所作所为，他一生做事都追求大节，从不违背事理。待人无论是贤者还是愚者，都一定使对方感到高兴。当其议论天下是非善恶，则没有几个人能符合他的心意。他写的文章道劲刚健，很能表现他的意气。有子石济、石滋，天子听说他去世，就授予他的一个儿子官职，使其能够靠俸禄养家。死后三十七日，安葬在太清先人的坟茔。他的朋友欧阳修作墓表于他的墓旁：

呜呼！曼卿！你宁愿喝酒混日子表示高洁，也不肯稍稍让步以迎合世俗，你真可谓是一位懂得自重的人啊！在上之人对不起你愈多，你对自己看得愈重；你愈是看重自己，就愈难迎合他人。然而要与人一起成大事、建奇功，不正是需要这样难于迎合他人而自重的人吗？古代那些伟人壮士，从来都为有高于世俗之人的志向而自负，他们有时宁肯毁坏自己的身体、损坏自己的名声，而最终默默无闻于困境之中。其中也有人直至老之将死之时才有机遇，也还是能为世人做出少许贡献。像曼卿这样的人，不仅难以迎合世俗，而且不能稍有贡献于世人，这正是他的不幸。不能达到中寿，也是他命该如此！真是可悲啊！

河南府司录张君墓表[①]

【题解】

本篇墓表的主人张君，是一位典型的封建社会士大夫，刻苦读书，兢兢业业地做官，对他的天不永年，欧阳修痛心疾首。欧阳修抚今追昔，怀念故友，一片深情。

【原文】

故大理寺丞、河南府司录张君，讳汝士，字尧夫，开封襄邑人也[②]。明道二年八月壬寅[③]，以疾卒于官，享年三十有七。卒之七日，葬洛阳北邙山下[④]，其友人河南尹师鲁志其墓[⑤]，而庐陵欧阳修为之铭[⑥]。以其葬之速也，不能刻石，乃得金谷古砖[⑦]，命太原王顾以丹为隶书[⑧]，纳于圹中[⑨]。

嘉祐二年某月某日[⑩]，其子吉甫、山甫改葬君于伊阙之教忠乡积庆里[⑪]。君之始葬北邙也，吉甫才数岁，而山甫始生，余及送者相与临穴，视窆且封[⑫]，哭而去。今年春，余主试天下贡士[⑬]，而山甫以进士试礼部，乃来告以将改葬其先君，因出铭以示余。盖君之卒，距今二十有五年矣。

初天圣、明道之间，钱文僖公守河南[⑭]。公，王家子，特以文学仕至贵显，所至多招集文士。而河南吏属，适皆当时贤材知名士[⑮]，故其幕府[⑯]号为天下之盛，君其一人

也。文僖公善待士，未尝责以吏职；而河南又多名山水，竹林茂树，奇花怪石，其平台清池上下，荒墟草莽之间，余得日从贤人长者，赋诗饮酒以为乐⑰。而君为人静默修洁，常坐府治事，省文书，尤尽心于狱讼。初以辟为其府推官⑱。既罢，又辟司录。河南人多赖之，而守尹屡荐其材。君亦工书，喜为诗，闲则从余游。其语言简而有意，饮酒终日不乱，虽醉未尝颓堕。与之居者，莫不服其德。故师鲁志之曰："饬⑲身临事，余尝愧尧夫，尧夫不余愧也。"

始君之葬，皆以其地不善；又葬速，其礼不备。君夫人崔氏，有贤行，能教其子；而二子孝谨，克自树立，卒能改葬君如吉卜，君其可谓有后矣。自君卒后，文僖公得罪，贬死汉南⑳，吏属亦各引去。今师鲁死且十余年，王顾者死亦六七年矣；其送君而临穴者，及与君同府而游者，十盖八九死矣；其幸而在者，不老则病且衰，如予是也。呜呼！盛衰生死之际，未始不如是，是岂足道哉！惟为善者能有后，而托于文字者，可以无穷。故于其改葬也，书以遗其子，俾碣㉑于墓，且以写余之思焉。吉甫今为大理寺丞、知缑氏县㉒；山甫始以进士赐出身云㉓。翰林学士、右谏议大夫、史馆修撰欧阳修撰㉔。

【注释】

①司录：官名，为州郡之属官，宋置河南府司录参军一人，折户婚之讼，而通书六曹之案牍。

②襄邑：今河南睢县，宋属开封府。

③明道：宋仁宗年号。

④北邙山：在河南洛阳东北，自汉以后，王公贵人多葬此。

⑤尹师鲁：名洙，仁宗时，官天章阁待制，坐范仲淹党，贬监郢州酒税，后迁至龙图阁直学士。

⑥庐陵：今江西吉安，宋属江南西路吉州府。

⑦金谷：在洛阳西，晋石崇有园在其地。

⑧丹：朱砂也。隶书：秦程邈所作，系增减大篆体，去其繁复，以使官狱职务。按，以丹书碑，自汉蔡邕书《石经》始，故后世称书志铭曰书丹。

⑨圹：墓穴。

⑩嘉祐：仁宗年号。

⑪伊阙：在洛阳南，即龙门山，两山相对，望之如阙，伊水历其间而北流，故名。

⑫窆(biǎn)：棺下葬。封：聚土掩埋。

⑬嘉祐二年(1057)，修权知礼部贡举。

⑭钱文僖公：名惟演，字希圣，吴越王俶次子。天圣八年(1030)，判河南府。

⑮时修及尹洙、梅尧臣、谢绛、张先等，咸在惟演幕下，皆一时知名之士。

⑯行军无府署，张帐幕以居，故曰幕府。后世凡行政官之记室皆称之。

⑰修尝与谢绛游嵩山，归抵龙门，惟演遣吏以厨传歌妓至，曰："山行良劳，当少留赏雪，府事简，毋遽归也。"

⑱辟：征召。推官：官名，唐置，为节度、观察两使之僚属，其后诸州皆置，亦曰军事推官，其次则衙推，宋因之。

⑲饬(chì):谨慎。

⑳惟演以妹妻刘美,乃庄献太后姻家。太后崩,惟演不自安,请以庄献、庄懿两太后并配真宗庙室,以希帝意。又为其子暖娶郭后妹。继又欲与庄懿太后族为婚。御史中丞范讽劾之,因落平章事,为崇信军节度使,归武胜军本镇,未几卒。武胜军,今四川武胜,在汉水之南,故云汉南。

㉑碣:圆硕之碑。

㉒缑氏县:今河南偃师南,宋属京西路,河南府。

㉓出身:谓入仕之途。宋《亲试进士条例》:考第之制凡五等,一二等曰及第,三等曰出身,四五等曰同出身。

㉔翰林学士:官名,唐初置翰林院,为内廷供奉之所,玄宗别置学士院,后遂兼翰林之称,为翰林学士,侍直禁廷,专司制诰。史馆修撰:官名,掌修撰国史。

【译文】

已故大理寺丞、河南府司录张君,名汝士,字尧夫,开封襄邑人。明道二年(1033)八月壬寅,因病卒于官任,享年三十七岁。卒后第七天,安葬于洛阳北邙山下,其友人河南尹师鲁为其撰写了墓志,庐陵欧阳修为其撰写了碑铭。因其安葬得过于仓促,故未来得及将墓志及碑铭刻石,于是找到一方金谷古砖,由太原王顾用红笔以隶书书写其上,置于墓中。

嘉祐二年(1057)某月某日,其子吉甫、山甫将张君改葬于伊阙的教忠乡积庆里。当张君死后葬于北邙时,吉甫才几岁,而山甫则刚刚出生,我和其他送葬者一起到墓地看他下葬,并待封土、哭别后始离去。今年春天,我主持天下贡士考试,而山甫正好在礼部参加进士考试，于是前来告诉我将要改葬他们的先父，并出示碑铭给我看。张君之死，距今已经二十五年了。

当初，天圣、明道年间，钱文僖公出任河南太守。文僖公是王者之家的子弟，但却是以文学优异而在仕途上显贵的，因此所到之处必多多召集文人学士。河南府的官吏、僚属都是当时的贤才及知名人士，因此钱公的幕府号称天下之盛，而张君则正是其中一员。钱文僖公优待士人，从不曾让他们担任小吏的职务。河南府多名山胜水、竹林茂树、奇花怪石，在平台清池以及建筑废墟、草莽之间，我每天都有机会与贤士、长者一同赋诗饮酒以求快乐。然而张君为人宁静沉默，高尚纯洁，常一人坐在官府中处理公事，翻阅文书，尤其对狱讼方面的事务最为尽心。最初，张君被辟为河南府推官。后来罢职，又被辟为司录。河南府的百姓对他多所依赖，而长官也多次向上级推荐他的才能。张君亦写得一手好字，并且喜欢作诗，一有闲暇则同我一起游赏。他言语简洁而又含有寓意，喝酒可以喝上一整天而不至于神志不清，即使喝醉了也未尝表现得颓废堕落。同他在一起的人，无不佩服他的德行。因此师鲁在墓志中说："在修身及处事方面，我曾有对不起尧夫之处，而尧夫从来没有愧对我的地方。"

当张君初葬之时，人们都认为择地不善，而且葬礼进行得太仓促，多有不完备的地方。然而张君的夫人崔氏有贤惠的品行，能够教育其子；而他的两个儿子也都孝顺、恭谨，知道刻苦以自立，终于能够按照卜者选定的吉地将其改葬，张君真可谓后继有人了。自从张君死后，钱文僖公获罪，被贬到汉南并死在那里，他的僚属也都离去而各奔前程了。如今师鲁已死了十余年，王顾也死了六七年了；当年那些送张君到墓地，以及同他在河南府共事而一起交游的，十之八九都已经死了；其余有幸活到如今的，非老即病且衰弱不堪了，就像我这个样子。唉！盛衰生死的过程，从来如此，还有什么值得多说呢！唯有一生为善者才能后继有人，而只有将心迹以文字表达出来，才能传之无穷。故在其改葬之际，写了以上这些交给张君之子，以供他们刻石于墓前，而且写的也是我对死者的思念。吉甫如今为大理寺丞、知缑氏县，山甫则被赐进士出身。翰林学士、右谏议大夫、史馆修撰欧阳修撰。

胡先生墓表[①]

【题解】

胡瑗，宋代著名学者，世称安定先生。文章叙述胡瑗在湖州、太学执教多年，以经术教授弟子，突出其弟子在科举和仕宦中的成就，借以塑造他为人师表的崇高形象。

【原文】

先生讳瑗[②]，字翼之，姓胡氏。其上世为陵州人[③]，后为泰州如皋人[④]。

先生为人师，言行而身化之，使诚明者达，昏愚者励，而顽傲者革；故其为法严而信，为道久而尊。师道废久矣，自明道、景祐[⑤]以来，学者有师，惟先生暨泰山孙明复、石守道三人[⑥]，而先生之徒最盛。其在湖州[⑦]之学，弟子去来常数百人，各以其经转相传授。其教学之法最备[⑧]，行之数年，东南之士莫不以仁义礼乐为学。

庆历四年，天子开天章阁，与大臣讲天下事，始慨然诏州县皆立学[⑨]。于是建太学于京师，而有司请下湖州，取先生之法以为太学法，至今为著令[⑩]。后十余年，先生始来居太学。学者自远而至，太学不能容，取旁官署以为学舍。礼部贡举，岁所得士，先生弟子十常居四五；其高第者，知名当时，或取甲科，居显仕；其余散在四方，随其人贤愚，皆循循雅饬。其言谈举止，遇之不问可知为先生

弟子；其学者相语称先生，不问可知为胡公也。

先生初以白衣见天子，论乐[11]，拜秘书省校书郎[12]，辟丹州军事推官[13]，改密州观察推官[14]。丁父忧，去职。服除，为保宁军节度推官[15]，遂居湖学。召为诸王宫教授[16]，以疾免。已而以太子中舍致仕[17]，迁殿中丞于家[18]。

皇祐中，驿[19]召至京师，议乐，复以为大理评事兼太常寺主簿[20]，又以疾辞。岁余，为光禄寺丞、国子监直讲[21]，乃居太学。迁大理寺丞，赐绯衣银鱼。嘉祐元年，迁太子中允，充天章阁侍讲，仍居太学[22]。已而病不能朝，天子数遣使者存问，又以太常博士致仕。

东归之日，太学之诸生与朝廷贤士，送之东门，执弟子礼，路人嗟叹以为荣。以四年六月六日，卒于杭州，享年六十有七。以明年十月五日，葬于乌程何山之原[23]。其世次、官邑，与其行事，莆阳蔡君谟具志于幽堂[24]。

呜呼！先生之德在乎人，不待表而见于后世！然非此无以慰学者之思，乃揭于其墓之原[25]。六年八月三日，庐陵欧阳修述。

【注释】

①胡先生：胡瑗，学者称安定先生。

②瑗：音 yuàn。

③陵州：今四川仁寿，宋为仙井监，属成都府路。

④泰州：今江苏姜堰，宋属淮南东路。如皋：今江苏如皋。按《宋史·胡瑗传》，作泰州海陵人，海陵即姜堰。

⑤景祐：宋仁宗年号。

⑥泰山：东岳，为五岳之一，在山东泰安北。孙明复：名复，晋州平阳人，举进士不第，退居泰山，学《春秋》，著《尊王发微》十二篇，除秘书省校书郎，国子监直讲，累迁殿中丞，卒。石守道：名介，兖州奉符人，学者称徂徕先生。

⑦湖州：今浙江湖州，宋属浙西路。

⑧瑗为湖州教授，设经义、治事两斋。经义斋，择疏通有器局者居之；治事斋，人治一事，又兼一事，如边防水利之类。

⑨时范仲淹欲复古劝学，数以为言，仁宗诏近臣议，宋祁等奏宜教士于学校，乃诏天下州县皆立学。

⑩是年诏以锡庆院为太学；并诏下湖州，取瑗法，著为令式。

⑪景祐初，更定雅乐，仲淹荐瑗，白衣对崇政殿，与阮逸同较钟律，分造钟磬各一簴。

⑫秘书省：掌图籍之官署，宋置校书郎四人，任校雠撰述之职。

⑬丹州：今陕西宜川，宋属陕西永兴军路。

⑭密州：今山东诸城，宋属京东东路。观察：官名，唐为节度兼职，无节度之州，亦特设之。

⑮保宁军：今浙江金华，宋属浙东路。节度：官名，唐置，统一道或数州军民政令，宋制节度观察，皆兼判遥领之官，但为虚衔而已。

⑯宋制，亲王府皆有教授、小学教授等官。

⑰太子中舍：官名，即中舍人，为东宫官属。

⑱殿中丞：官名，宋制，殿中省掌天子玉食、医药、服御、舆辇之政令，置丞一人为属官。

⑲驿：马递。古为传达文书之所，设驿丞掌其事，时更铸太常钟磬，驿召瑗，与近臣太常官，议于秘阁。

⑳评事：官名，掌平决刑狱，属大理寺。主簿：官名，为各监寺及州郡

之僚属，掌文书簿籍。时宋祁请增置太掌寺主簿一人，勾检在寺文书，及掌出纳，遂除瑗为之。

㉑光禄寺丞：官名，宋制，光禄寺掌祭祀、朝会、宴享、酒醴之事，置丞一人。国子监：即国学。直讲：官名，掌佐博士助教，以经术讲授。

㉒天章阁侍讲：官名，庆历七年(1047)，置天章阁学士、直学士、侍讲等官。

㉓乌程：今浙江湖州，宋属湖州府。何山：在县南十四里，晋太守何楷读书于此，故名。

㉔莆阳：今福建仙游，宋属福建路，以在莆田之南，故曰莆阳。蔡君谟：名襄，仙游人，天圣中进士，累官知谏院，至端明殿学士，卒，谥忠惠，工书，有《忠惠集》行世。幽堂：墓冢。唐韩愈《刘统军碑》："有谥，有诔，有幽堂之铭。"

㉕揭：表示。

【译文】

先生名瑗，字翼之，姓胡。他的先世本为陵州人，后来才迁居泰州如皋。

先生为人师表，言传身教并能以身作则来教导学生，使诚信而智慧的学生更通达，使糊涂而愚蠢者自勉，而那些顽劣且骄横者则思改悔。因此，他教学的规章制度严格而又所言必行，以圣贤之道教人，日久而愈发受人尊重。师道久已废弃，自景祐、明道以来，求学的生徒以为可以作为他们的师长者，唯先生和泰山孙明夏、石守道三人而已，而三人中又以先生的弟子最多。先生在湖州教学时，来来往往的弟子常有数百人，都以他们各自所学的经传互相传授。他的教学方法最完备，实行数年之后，东南地区的读书人无不努力学习仁义礼乐。

庆历四年(1044),天子开设天章阁,与大臣在其中议论天下大事,开始要求各州县建立学校。于是在京师建太学,有关部门请求下湖州索取先生办学之法作为太学办学之法,此至今已明载于法令。又过了十多年,先生才到太学任教。学者自远方而来者日多,以至于太学都容纳不下了,只好取近旁官署的房屋作为学舍。礼部考试,录取者之中,先生的弟子常常十占四五;其中名列榜首者,都知名当时,有的被录为甲科,出任显要职位;其余则分散在四面八方,这些人不论愚贤,先生都能循循善诱。以至于一见他们的言谈举止,不必询问即可以知道他们是胡先生的弟子;学生们在一起谈论时称先生,不必问即可知他们说的正是胡公。

先生最初以白衣面见天子,议论乐理,被拜为秘书省校书郎,任命为丹州军事推官,后来又改任密州观察推官。因为父亲服丧,去职。服丧期满,出任保宁军节度推官,于是始定居湖州州学。后来又奉召任诸王宫教授,因患病而去职。不久以太子中舍致仕,但是居家时仍升迁为殿中丞。

皇祐年间,奉召至京师,议论乐理,再授官为大理评事兼太常寺主簿,但又因病辞官。一年后,又任光禄寺丞、国子监直讲,于是常住太学,升迁为大理寺丞,赐绯衣银鱼。嘉祐元年(1056),迁太子中允,出任天章阁侍讲,仍住在太学。后来因病不能朝见,天子又数次遣使表示慰问,又以太常博士致仕。

东归之日,太学的学生以及朝廷上的贤士大夫们送他到东门外,都执弟子之礼,路上的行人见了都为先生的荣耀而感叹不已。嘉祐四年(1059)六月六日,先生卒于杭州,享年六十七岁。第二年十月五日安葬在乌程何山之原。关于他的家世、在何地做官以及具体事迹,莆阳蔡君谟已经为先生撰写了墓志。

呜呼,先生的品德正是由他本人体现出来的,并不待我这份墓表为之表白才为后世所知!然而不如此则无以安慰学者们对先生的思念,于是才将这份墓表公之于先生墓地所在的原上。嘉祐六年(1061)八月三日,庐陵欧阳修述。

泷冈阡表[①]

【题解】

本文是欧阳修为追悼亡父而作的墓表，但父亲亡故时，欧阳修年仅四岁，无法知悉父亲的生平行状，所以避实就虚，巧妙地借母亲之口，从侧面落笔来写父亲。这样即表现了父亲的孝顺与仁厚，同时又颂扬了母亲的贤良与勤俭，可谓一碑双表。选材上不计琐细，不事雕饰，但句句入情。因此，这篇墓表被被誉为中国古代三大祭文之一。

【原文】

呜呼！惟我皇考崇公卜吉于泷冈之六十年[②]，其子修始克表于其阡。非敢缓也，盖有待也。

修不幸，生四岁而孤。太夫人守节自誓，居贫，自力于衣食，以长以教，俾至于成人[③]。太夫人告之曰："汝父为吏廉，而好施与，喜宾客；其俸禄虽薄，常不使有余，曰：'毋以是为我累。'故其亡也，无一瓦之覆、一垄[④]之植以庇而为生。吾何恃而能自守邪？吾于汝父，知其一二，以有待于汝也。自吾为汝家妇，不及事吾姑，然知汝父之能养也。汝孤而幼，吾不能知汝之必有立，然知汝父之必将有后也。吾之始归也[⑤]，汝父免于母丧方逾年，岁时祭祀，则必涕泣曰：'祭而丰，不如养之薄也！'间御[⑥]酒食，则又涕泣曰：'昔常不足，而今有余，其何及也！'吾始一二见之，以为新免于丧适然耳；既而其后常然，至其终身未

尝不然。吾虽不及事姑，而以此知汝父之能养也。汝父为吏，尝夜烛治官书[7]，屡废而叹，吾问之，则曰：'此死狱也，我求其生不得耳。'吾曰：'生可求乎？'曰：'求其生而不得，则死者与我皆无恨也，矧[8]求而有得耶？以其有得，则知不求而死者有恨也。夫常求之生，犹失之死，而世常求其死也。'回顾乳者剑[9]汝而立于旁，因指而叹曰：'术者谓我岁行在戌将死[10]，使其言然，吾不及见儿之立也，后当以我语告之。'其平居教他子弟，常用此语，吾耳熟焉，故能详也。其施于外事，吾不能知；其居于家，无所矜饰[11]，而所为如此，是真发于中者邪。呜呼！其心厚于物者邪！此吾知汝父之必将有后也。汝其勉之！夫养不必丰，要于孝；利虽不得溥于物[12]，要其心之厚于仁。吾不能教汝，此汝父之志也。"修泣而志之[13]，不敢忘。

先公少孤力学，咸平三年[14]，进士及第。为道州判官[15]，泗、绵二州推官[16]，又为泰州判官。享年五十有九，葬沙溪之泷冈[17]。

太夫人姓郑氏，考讳德仪，世为江南名族。太夫人恭俭仁爱而有礼，初封福昌县太君[18]，进封乐安、安康、彭城三郡太君[19]。自其家少微[20]时，治其家以俭约，其后常不使过之，曰："吾儿不能苟合于世，俭薄所以居患难也。"其后修贬夷陵[21]，太夫人言笑自若，曰："汝家故贫贱也，吾处之有素矣；汝能安之，我亦安矣。"

自先公之亡二十年，修始得禄而养[22]。又十有二年，列官于朝[23]，始得赠封其亲。又十年，修为龙图阁直学士、尚书吏部郎中、留守南京[24]，太夫人以疾终于官舍，享年七十有二。又八年，修以非才，入副枢密，遂参政事[25]。又七年而罢[26]。自登二府[27]，天子推恩，褒其三世。盖自嘉祐以来，逢国大庆，必加宠锡。皇曾祖府君[28]累赠金紫光禄大夫、太师、中书令[29]，曾祖妣累封楚国太夫人[30]。皇祖府君累赠金紫光禄大夫、太师、中书令兼尚书令[31]，祖妣累封吴国太夫人。皇考崇公累赠金紫光禄大夫、太师、中书令兼尚书令，皇妣累封越国太夫人[32]。今上初郊[33]，皇考赐爵为崇国公，太夫人进号魏国[34]。

于是小子修泣而言曰："呜呼！为善无不报，而迟速有时，此理之常也！惟我祖考，积善成德，宜享其隆。虽不克有于其躬，而赐爵受封，显荣褒大，实有三朝[35]之锡命，是足以表见于后世，而庇赖其子孙矣。"乃列其世谱，具刻于碑。既又载我皇考崇公之遗训，太夫人之所以教，而有待于修者，并揭于阡。俾知夫小子修之德薄能鲜，遭时窃位；而幸全大节，不辱其先者，其来有自。

熙宁三年[36]，岁次庚戌，四月辛酉朔十有五日乙亥，男推诚保德崇仁翊戴功臣、观文殿学士、特进、行兵部尚书、知青州军州事、兼管内劝农使[37]、充京东东路安抚使、上柱国、乐安郡开国公、食邑四千三百户、食实封一千二百户修表[38]。

【注释】

①泷冈：在今江西永丰南凤凰山，宋属江南西路吉州。阡：墓道。

②修父名观，字仲宾，封崇国公。崇，在今陕西境。

③修四岁父卒，叔晔为随州推官，母郑氏，携修往依之，贫无资，以荻

画地，教之书字。

④垄：田中高地。

⑤妇人谓嫁为归。

⑥御：进。

⑦官书：治狱之书。

⑧矧（shěn）：何况。

⑨剑：提抱小儿之状，谓挟于胁下如带剑。

⑩术者：谓操星算之术者。岁：太岁，即木星，约十二年一周天，故古者以其经行躔次，分为十二辰，以纪年。按，修父卒于祥符三年（1010）庚戌。

⑪矜饰：矜夸矫饰。

⑫溥：大，此广施之义。

⑬志：记。

⑭咸平：宋真宗年号。

⑮道州：今湖南道县，宋属荆湖南路。判官：官名，宋节度观察诸使，皆有判官为之僚属，以判公事。

⑯泗州：今安徽泗县，宋属淮南东路。绵州：今四川绵阳，宋属成都府路。

⑰沙溪：在江西永丰凤凰山下。

⑱福昌：今河南宜阳，宋属京西北路河南府。

⑲乐安：今山东惠民，宋为河北东路棣州。安康：今陕西汉阴，宋为京西南路金州。彭城，今江苏铜山，宋为京东西路徐州。宋制，文武官四品，母曰郡太君。

⑳微：衰。

㉑景祐三年（1036），范仲淹贬官，修贻书责司谏高若讷不论救，高上

其书，坐贬夷陵令。夷陵：今湖北宜昌，宋属荆湖北路峡州府。

㉒天圣八年(1030)，修举进士，授将仕郎，试秘书省校书郎，充西京留守推官。

㉓庆历三年(1043)，修以太常丞、知谏院，未几，拜右正言、知制诰。

㉔吏部郎中：官名，宋置吏部郎中四人，参掌吏部选事，吏部属尚书省，故称尚书吏部郎中。留守：官名，宋制，西、南、北三京，皆置留守，以知府事兼之，掌宫钥，及京城守卫、修葺、弹压之事，畿内钱谷兵民之政皆属焉。

㉕嘉祐五年(1060)，修拜枢密院副使，六年，参知政事。

㉖神宗治平元年(1064)，修出知亳州。

㉗宋以中书省、枢密院为二府，文事出中书，武事出枢密。

㉘府君：为人子叙述先世，尊之之称。

㉙金紫光禄大夫：官名，金紫谓金印紫绶，宋为正二品散官。中书令：为中书省之长官，唐为宰相之职，宋为赠官。

㉚楚：今湖北境。

㉛尚书令：为尚书省之长官，唐为相职，宋为赠官。

㉜越：今浙江境。

㉝今上：谓神宗，名顼，英宗子。郊：祭天。

㉞魏：今河南北部山西西南之地。

㉟三朝：仁宗、英宗、神宗。

㊱熙宁：神宗年号。

㊲宋因唐制，以功臣名号赐予臣僚，上加推忠、翊戴……诸字。观文殿学士：官名，观文殿为延恩殿所改名，即殿名置学士，位资政殿学士上，以宠辅臣之去位者任之。特进：官名，汉置，位三公下，宋为从一品散官。劝农使：官名，系兼领使职，掌劝课农桑之事。

㊳京东东路：宋置，统青、密、沂、登、莱、淄、潍诸州之地，今山东境。上柱国：官名，宋制，勋官一十二，最尊者曰上柱国，正二品。开国公：封爵名，宋制，爵一十二，自王以下，六曰开国公，七曰开国郡公，正二品。宋制，封爵之差，食邑自二百户至一万户，凡十四等。食实封一百户至一千户，凡七等。

【译文】

唉！我的父亲崇国公，在泷冈占卜吉地安葬六十年之后，他的儿子修才能够在墓道上立碑。这并不是敢有意迟缓，是因为有所等待。

我生来不幸，四岁时父亲就去世了。母亲立志守节，家境贫困，靠自己的力量操持生活，还要抚养我、教育我，使我长大成人。母亲告诉我说："你父亲为官清廉，乐善好施，爱结交朋友，他的俸禄又微薄，常常所剩无几，说：'不要让钱财使我受累！'因此他去世后，没有留下一片瓦、一垅田供我维持生活。我靠什么守节呢？我对你的父亲有所了解，因而把希望寄托在你身上。自从我成为你家的媳妇，没赶上侍奉婆婆，但我知道你父亲很孝敬父母。你自幼失去父亲，我不能断定你将来有成就，但我知道你父亲一定后继有人。我刚出嫁时，你父亲为他母亲守孝期满刚一年，岁末祭祀祖先，他必流泪说：'祭祀再丰富，也不如生前的微薄奉养啊。'偶然吃些好的酒菜，他又流泪说：'从前时常不够，如今富足有余，但哪里来得及呢！'刚开始我遇到这种情形，还以为是刚服完丧才这样；后来却经常如此，直到去世。我虽然没来得及侍奉婆婆，可从这一点能看出你父亲很孝敬父母。你父亲做官，曾经在夜里点着蜡烛看案卷，多次停下来叹气。我问他，就说：'这是一个判了死罪的案子，我想为他求得一条生路却办不到。'我问：'可以为死囚找生路吗？'他说：'想为他寻求生路却无能为力，那么死者和我就都没有遗憾了，何况去寻求生路而又能办到呢！正因为可以办到，才明白不认真推求而被处死的人可能有遗恨啊。经常为死囚求生路，还不免错杀，而偏偏世上总有人想置犯人于死地。'他回头看见奶娘抱着你站在旁边，于是指着你叹气说：'算命的说我遇上戌年就会死，假使他的话应验了，我就看不见儿子长大成人了，将来你要把我的话告诉他。'他也常常用这些话教育其他后辈，我听惯了，所以记得很清楚。他在外面怎么样，我不知道；但他在家里，从不装腔作势，而他之所以能这样，是发自内心的！唉！他的心比仁者更宽厚啊！因此我就知道你父亲一定会后继有人。你一定要努力啊！奉养父母不一定要丰厚，最重要的是孝敬；利益虽然不能遍施于所有的人，重在有仁爱之心。我没什么可教你的，这些都是你父亲的志向。"我流着泪记下了这些教诲，不敢忘记。

先父年幼丧父，努力读书，咸平三年(1000)考中进士。曾任道州判官，泗、绵二州推官，又做过泰州判官。享年五十九岁，葬在沙溪的泷冈。

太夫人姓郑，她的父亲名讳是德仪，世代都是江南有名望的家族。太夫人恭敬、俭约、仁爱又有礼仪教养，起初诰封为福昌县太君，进封为乐安、安康、彭城三郡太君。自从家道中落以后，她就勤俭持家，后来家境富裕了，也不许花费过多，她说："我的儿子不能苟且迎合世人，俭约一些，才能渡过那可能要遭受的患难。"后来，我被贬夷陵，太夫人言笑自若，说："你家本来就贫贱，我已经习惯这种日子。你能安然处之，我也就安心了。"

先父死后二十年，我才取得俸禄来供养母亲。又过了十二年，列位于朝廷做京官，才得到赠封双亲。又过了十年，我担任龙图阁直学士、尚书吏部郎中，留守南京，母亲因病逝世于官邸，享年七十二岁。

又过了八年，我以不相称的才能，做了朝廷的枢密副使，进为参知政事。又过了七年才解除职务。自从进入军、政二府后，天子施恩，褒奖三代宗亲。自从嘉祐年间以来，每逢国家大庆，必定对我的先祖加以赐恩。曾祖父累赠为金紫光禄大夫、太师、中书令，曾祖母累赠为楚国太夫人。祖父累赠为金紫光禄大夫、太师、中书令兼尚书令，祖母累赠为吴国太夫人。先父崇国公累赠为金紫光禄大夫、太师、中书令兼尚书令，先母累赠为越国太夫人。皇上初次举行祭天大礼，先父赐爵为崇国公，先母进爵为魏国太夫人。

于是我流着泪说："唉！做善事没有得不到好报的，时间或迟或早，这是必然的道理。先祖和父亲积善有德，理应享有这种盛大的酬报。虽然他们在有生之年不能亲自享受到，但是赐爵位、受封官，经表彰而光荣，因褒奖而崇大，具有三朝恩赏诰封，这就足够使其德行显扬于后世，庇荫支持他们的子孙。"于是排列我家世代的谱系，详细刻在石碑上，接着又记下先父崇国公的遗训，以及太夫人的教诲，以及所以对我有所待的原因，都写在阡表上。好让大家知道我德行浅薄，能力微小，只是适逢其时才能得到高位，而有幸保全大节，没有辱及先祖，都由于上述的原因。

熙宁三年(1070)，岁在庚戌，四月初一辛酉，十五日乙亥，推诚保德崇仁翊戴功臣，观文殿学士，特进，行兵部尚书，知青州军州事，兼管内劝农使，充京东路安抚使，上柱国，乐安郡开国公，食邑四千三百户，食实封一千二百户，欧阳修立表。

张子野墓志铭[①]

【题解】

本文是一篇感情沉痛的悼亡文章，通篇以对友朋的聚散、生死感叹成文，一唱三叹，淋漓郁勃，荡气回肠，很有艺术感染力。

【原文】

吾友张子野既亡之二年，其弟充以书来请曰："吾兄之丧，将以今年三月某日葬于开封，不可以不铭，铭之莫如子宜！"呜呼！予虽不能铭，然乐道天下之善以传焉！况若吾子野者，非独其善可铭，又有平生之旧、朋友之恩，与其可哀者，皆宜见于予文，宜其来请于予也。

初，天圣九年，予为西京留守推官。是时，陈郡谢希深、南阳张尧夫与吾子野，尚皆无恙[②]。于时一府之士，皆魁杰贤豪，日相往来，饮酒歌呼，上下角逐[③]，争相先后以为笑乐。而尧夫、子野，退然其间，不动声色，众皆指为长者。予时尚少，心壮志得，以为洛阳东西之冲[④]，贤豪所聚者多，为适然耳。其后去洛来京师[⑤]，南走夷陵并江汉[⑥]，其行万三四千里，山砠水厓[⑦]，穷居独游，思从曩[⑧]人，邈[⑨]不可得。然虽洛人，至今皆以谓无如向时之盛。然后知世之贤豪不常聚，而交游之难得，为可惜也。初在洛时，已哭尧夫而铭之；其后六年，又哭希深而铭之；今又哭吾子野而铭。于是又知非徒相得之难，而善人君子，欲

使幸而久在于世，亦不可得。呜呼！可哀也已！

子野之世，曰赠太子太师[10]，讳某，曾祖也。宣徽北院使[11]、枢密副使，累赠尚书令，讳逊，皇祖也。尚书比部郎中[12]，讳敏中，皇考也。曾祖妣李氏，陇西郡[13]夫人。祖妣宋氏，昭化郡[14]夫人，孝章皇后[15]之妹也。妣李氏，永安县太君。

子野家联后姻，世久贵仕，而被服操履，甚于寒儒。好学自力，善笔札[16]。天圣二年举进士，历汉阳军司理参军、开封府咸平主簿、河南法曹参军[17]。王文康公、钱思公、谢希深与今参知政事宋公[18]，咸荐其能。改著作佐郎、监郑州酒税[19]，知阆州阆中县[20]，就拜秘书丞[21]。秩满，知亳州鹿邑县[22]。宝元二年二月丁未[23]，以疾卒于官，享年四十有八。子伸，郊社掌坐[24]，次从，次幼未名。女五人，一适人矣。妻刘氏，长安县君[25]。

子野为人，外虽愉怡[26]，中自刻苦。遇人浑浑不露圭角[27]，而志守端直，临事敢决。平居酒半，脱冠垂头，童然秃且白矣[28]。予固已悲其早衰，而遂止于此，岂其中亦有不自得者耶？子野讳先，其上世博州高堂人[29]；自曾祖已来，家京师而葬开封，今为开封人也。

铭曰：

嗟夫子野！质厚材良！孰屯其亨？孰短其长[30]？岂其中有不自得，而外物有以戕[31]？开封之原，新里之乡，三世于此，其归其藏[32]。

【注释】

①墓志铭：志墓文之埋于墓中者，用两方石相合，一刻志铭，一题死者姓氏爵里，放于柩前。

②陈郡：今河南淮阳，宋属京西北路。谢希深：名绛，富阳人。以文学知名，累官至兵部员外郎，爵至阳夏男，用其封，故复为陈郡人。恙：病。《风俗通》："恙，噬虫，能食人心，古者草居，多被此毒，故相问劳曰'无恙'。"

③角逐：竞胜负。

④冲：通行大道。

⑤景祐元年(1034)，修西京秩满如京师，充馆阁校勘。

⑥并：依傍。修贬夷陵令，后移乾德令，今湖北老河口，皆在长江汉水流域。

⑦砠(jū)：土山戴石。厓(yá)：与"涯"通，水边。

⑧曩：昔。

⑨邈：远也，渺也。

⑩太子太师：官名，古制东宫师傅，有太子太师、太傅、太保、少师、少傅、少保等官，宋不常置，乃赠官。

⑪宣徽北院使：官名，唐置宣徽南北院使，总领内诸司及三班内侍之籍，郊祀、朝会、宴享供张之事，以宦者为之，后此官日尊，五代及宋，皆以大臣为之。

⑫尚书比部郎中：官名，魏尚书有比部曹，自是因之；北齐时，属都官尚书；隋改都官为刑部，仍以比部属焉；宋置郎中一人，掌勾覆中外账籍等事。

⑬陇西：今甘肃陇西，宋为陕西永兴军路巩州府。

⑭昭化：今属四川广元利州，宋属利州路。

⑮孝章皇后:左卫上将军宋偓女,宋太祖开宝元年(968),纳为后。
⑯笔札:犹言纸笔。札:牒也。古无纸,文字书于小木简,谓之札。
⑰汉阳军:今湖北汉阳,宋属荆湖北路。咸平:今河南通许,宋属河南府。法曹参军:官名,即司法参军,为州郡之僚属,掌议法断刑。
⑱王文康公:名曙,字晦叔,河南人,仁宗时,累官枢密使,同平章事。钱思公:即钱惟演,惟演卒,太常请谥文墨,其家诉于朝,诏章得象等议,改谥思,后又改谥文僖。宋公:名庠,初名郊,字公序,雍丘人,仁宗时同平章事,卒谥元献。
⑲著作佐郎:官名,隶秘书省,为著作郎之贰,掌修纂日历。郑州:今河南郑州,宋属京西北路。宋置监当官,掌茶盐、酒税、场务、征输及冶铸之事。
⑳阆州阆中:今四川阆中,宋属利州路。
㉑秘书丞:官名,宋秘书省置丞一人,参领省事。
㉒亳州:今安徽亳州,宋属淮南东路。鹿邑:今河南鹿邑,宋属亳州。
㉓宝元:宋仁宗年号。
㉔郊社掌坐:官名,宋置郊社令,掌巡四郊及社稷坛壝扫除之事。掌坐,盖其属也。
㉕长安:今陕西西安,宋属陕西永兴军路京兆府。
㉖愉怡:和悦。
㉗浑浑:浑朴之意。圭角:犹言锋芒,喻人之锋棱峭厉者。
㉘童:年老顶秃。
㉙博州:今山东聊城,宋属河北东路。高堂:今山东高唐,宋属博州。
㉚二语谓子野应亨而竟困,应寿考而短命,谁实使之?伤之之词。屯:卦名,难也。亨:通也。
㉛戕:残害。

㉜归骨肉，藏魂魄，谓葬。

【译文】

我的朋友张子野去世的第二年，他的弟弟张充来信请求我说："我的哥哥去世，将在今年三月某日葬于开封，不能不写墓志铭；要写的话非你不可。"呜呼！我虽然不善于写墓志铭，但是乐于写天下的善事来传扬，何况像我的朋友张子野，不但有善行值得铭记，又有平生往来的旧人、朋友之间的恩情和值得哀痛的事情，都应该表现在我的文章中，所以他来请求我。

当初，天圣九年(1031)，我为西京留守推官。那时，陈郡谢希深、南阳张尧夫与子野，都还无恙。那时留守府上的文士，都是魁杰贤豪，每日来来往往，饮酒高歌，竞赌胜负，争先恐后，以为欢乐。但尧夫、子野，谦卑恬退，不动声色，众人都视二人为长者。我那时还年轻，对什么事情都充满信心，认为洛阳是东西交通的枢纽，聚集的人才众多，是当然的事。后来离开洛阳来到京师开封，被贬为夷陵令，又移乾德令，依傍着长江汉水，行程一万三四千里，石山水滨，荒凉偏僻，闭门不出，独自往来，思念往日的朋友，邈远而不可得。然而就是洛阳人，到今天也认为远远没有以前那么兴盛了。然后我明白了世间的贤豪不能够长久聚集，而朋友之难得，是最为值得珍惜的。当初在洛阳，已吊唁尧夫而写了铭文；六年后，又祭奠希深而致以铭文；今天又要哭临子野而铭之。这时我又知道了不仅找到这样的朋友很难，连想要使有道的好人长久活在世上，也不可能啊。唉！太悲哀了！

子野祖上，曾祖，赠太子太师，讳某。祖父，宣徽北院使、枢密副使，累赠尚书令，讳逊。父亲，尚书比部郎中，讳敏中。曾祖母李氏，陇西郡夫人。祖母宋氏，昭化郡夫人，是孝章皇后的妹妹。母亲李氏，永安县太君。

子野家与皇后家族联姻，累世高官，但是穿的衣服鞋子，比寒儒还不如。专心追求学问，自力更生，善写文章。天圣二年(1024)进士及第，历任汉阳军司理参军、开封府咸平主簿、河南法曹参军。王文康公、钱思公、谢希深与今参知政事宋公，都称赞、推荐他的才能。改任著作佐郎，监郑州酒税、知阆州阆中县，又拜秘书丞。任期届满，出知亳州鹿邑县。宝元二年(1039)二月丁未，因病卒于任上，享年四十八岁。长子伸，任郊社掌坐，次子从，幼子还没有命名。女五人，一女已出嫁。妻刘氏，长安县君。

子野为人，虽然外表快乐愉悦，但内心刻苦进取。待人浑厚纯朴，不露锋芒，而且品格端庄正直，遇事勇于决断。平时宴饮间酒至数巡，他脱下帽子，垂下头发，我突然发现他青春已逝，头顶半秃，头发斑白。我固然遗憾他未老先衰，但也仅此而已，难道他内心有痛苦不能自得其乐吗？子野的祖上，是博州高堂人；从他曾祖父以来，都在开封安家，死后都安葬在开封，现在算是开封人了。

墓志铭曰：子野，浑厚纯朴，栋梁之材！谁阻碍了他的通达吗？谁削减了他的寿命吗？难道是他内心本来就不开心，还是因环境的影响而遭受摧残？开封之原野，新里之乡间，三代人葬于此，把他也安葬在这里吧。

孙明复先生墓志铭

【题解】

孙明复是北宋著名学者。本文不直接赞扬孙明复的高贵品格，而是从宰相主动嫁侄女、大学者石介以师礼事之等方面，来说明他的崇高地位。最后说明他治学严谨，“不以曲说乱经”，与其人格一致。

【原文】

先生讳复，字明复，姓孙氏，晋州平阳人也[①]。少举进士不中，退居泰山之阳，学《春秋》[②]，著《尊王发微》。鲁[③]多学者，其尤贤而有道者石介；自介而下，皆以弟子事之。

先生年逾四十，家贫不娶，李丞相迪将以其弟之女妻之[④]，先生疑焉。介与群弟子进曰：“公卿不下士久矣。今丞相不以先生贫贱，而欲托以子，是高先生之行义也。先生宜因以成丞相之贤名。”于是乃许。孔给事道辅[⑤]，为人刚直严重，不妄与人，闻先生之风，就见之。介执杖屦侍左右，先生坐则立，升降拜则扶之，及其往谢也亦然。鲁人素高此两人，由是始识师弟子之礼，莫不嗟叹之。而李丞相、孔给事亦以此见称于士大夫。

其后介为学官[⑥]，语于朝曰：“先生非隐者也，欲仕而未得其方也。”庆历二年，枢密副使范仲淹、资政殿学士富弼[⑦]言其道德经术，宜在朝廷，召拜校书郎、国子监直讲。

尝召见迩英阁[8]说诗，将以为侍讲，而嫉之者[9]言其讲说多异先儒，遂止。七年，徐州孔直温以狂谋捕治[10]，索其家，得诗，有先生姓名，坐贬监处州商税[11]，徙泗州，又徙知河南府长水县[12]，签署应天府判官公事[13]，通判陵州。翰林学士赵槩等十余人上[14]言："孙某行为世法，经为人师，不宜弃之远方。"乃复为国子监直讲。以嘉祐二年七月二十四日，以疾卒于官，享年六十有六。官至殿中丞。

先生在太学时，为大理评事。天子临幸，赐以绯衣银鱼。及闻其丧，恻然，予其家钱十万；而公卿大夫、朋友、太学之诸生，相与吊哭，赙[15]治其丧。于是以其年十月二十七日，葬先生于郓州须城县卢泉乡之北扈原[16]。

先生治《春秋》[17]，不惑传注，不为曲说以乱经[18]，其言简易，明于诸侯大夫功罪，以考时之盛衰，而推见王道之治乱，得于经之本义为多。方其病时，枢密使韩琦[19]，言之天子，选书吏，给纸笔，命其门人祖无择[20]就其家，得其书十有五篇，录之藏于秘阁。先生一子大年，尚幼。

铭曰：

圣人既殁经更焚，逃藏脱乱仅传存[21]。众说乘之汩[22]其原，怪迂[23]百出杂伪真。后生牵卑习前闻，有欲患之寡攻群，往往止燎以膏薪[24]。有勇夫子[25]辟浮云，刮摩蔽蚀相吐吞，日月卒复光破昏。博哉功利无穷垠，有考其不在斯文。

【注释】

①晋州平阳：今山西临汾，宋为平阳府，属河东路。

②《春秋》:本鲁史记之名,经孔子删定,自鲁隐公元年(前722),至哀公十四年(前481),凡十二公,二百四十二年,编年之史也。

③鲁:今山东境。

④李丞相迪:字复古,濮州鄄城人,累官资政殿大学士,同平章事,卒谥文定。妻(qì):以女嫁人曰妻之。

⑤孔给事道辅:字原鲁,孔子四十五世孙,累官龙图阁直学士,给事中,御史中丞。

⑥介后为国子监直讲。

⑦富弼:字彦国,河南人,仁宗时与文彦博并相,天下称为"富文",卒谥文忠。

⑧迩英阁:在崇政殿西南,为侍臣讲读之所。

⑨嫉之者:指杨安国。

⑩孔直温:徐州狂人,谋反,事觉,伏诛。

⑪处州:今浙江丽水,宋属浙东路。按《宋史》本传作"坐贬虔州监税"。虔州:今江西赣州,宋属江南西路。

⑫长水:今河南洛宁,宋属河南府。

⑬宋有签书判官厅公事,是为幕职,简称签判,其衙署谓之签厅,各州皆置,掌赞裨郡政,总理诸案文移,斟酌可否,以白于其长而罢行之。

⑭赵槩:字叔平,累官枢密使,参知政事,卒谥康靖。

⑮赙:以财助丧葬。

⑯郓州:今山东郓城东,宋为京东西路东平府。须城:今山东东平,宋属东平府。庐泉乡:在东平东北。

⑰《春秋》三传:《左氏传》,左丘明著,晋杜预注;《公羊传》,公羊高著,汉何休注;《穀梁传》,穀梁赤著,晋范宁注。

⑱曲说：谓偏于一隅之说。

⑲韩琦：字稚圭，相州人，与范仲淹同讨西夏，天下称为韩范，嘉祐时同平章事，卒谥忠献。

⑳祖无择：字择之，上蔡人，累官秘书监、集贤院学士。

㉑谓孔子既没，六经经秦火之后，儒生逃散，或藏书于壁，仅乃获传也。

㉒汩：乱也。

㉓迂：曲也。

㉔燎：火焚。《书·盘庚》："若火之燎于原。"止燎以膏薪，谓欲止之而焰反炽。

㉕有勇夫子：指孙明复。

【译文】

先生讳复，字明复，姓孙，晋州平阳人。年轻时考进士不中，隐居在泰山之南，学习《春秋》，著《尊王发微》。鲁地的学者很多，其中尤其杰出而且有道德的是石介。自石介起，以下诸人皆以弟子之礼尊奉他。

先生年过四十，家庭贫困而没有娶妻，丞相李迪准备将他弟弟的女儿嫁给先生，先生犹豫不决。石介与众弟子劝道："公卿们不愿意屈身交往贤士已经很久了。现在丞相不因为先生贫贱而欲将侄女托付给先生，是看重先生的行操节义。先生应该乘机成全丞相的贤德之名。"于是就答应了。给事中孔道辅为人刚强正直、严肃稳重，不随便与人交往，听说先生的风范如此，就立即前来拜访先生。石介执杖屦之礼侍奉在先生左右，先生落座，就站立在旁边；先生出入拜见，就由他搀扶着；等到先生去孔家回拜的时候，也是如此。鲁人既然素来就尊敬这两位先生，由此才算见识了弟子之礼，没有不赞美叹服的。而李丞相、孔给事也因此受到士大夫的称赞。

后来石介做了学官，对朝廷说："先生并非是隐士，他是想要出仕却没有途径啊。"庆历二年(1042)，枢密副使范仲淹、资政殿学士富弼都上言说，先生的道德、经学应该显扬于朝廷，征拜先生校书郎、国子监直讲。先生曾经被召见到迩英阁讲论《诗经》，并将要被升职为侍讲，但是嫉妒先生的小人进谗言说先生的见解多与前代大儒不一致，于是未能实现。庆历七年(1047)，徐州孔直温因狂悖谋反被抓捕，抄没其家时，搜出诗稿，内有先生的姓名，因此受到牵连而被贬监处州酒税，后调到泗州任职，又先后调知河南府长水县，签署应天府判官公事，通判陵州。翰林学士赵叔平等十余人上书说："孙某操行为当世楷模，经学为当代宗师，不应该流放到远方。"于是复官国子监直讲。嘉祐二年(1057)七月二十四日，因病在任上逝世，享年六十六岁。官至殿中丞。

先生在太学时，任大理评事。天子到太学巡视，赐以绯衣银鱼。等到听说他去世，十分悲伤，赐给他家十万钱；公卿、士大夫、朋友、太学的学生纷纷前往吊祭、哀哭，以财物助其丧葬。于是在当年的十月二十七日，葬先生于郓州须城县卢泉乡之北扈原。

先生研习《春秋》，不被不确切的传注迷惑，不以偏于一隅的见解胡乱解说经义。他的言语简明易懂，意在彰明诸侯、士大夫的功过是非，从而考见时代的盛衰，然后推想而发现王道与治乱之间的关系，与经典的本义相投合。他患病的时候，枢密使韩琦将此事禀告天子，于是选派一员书吏，给予纸笔，命其门人祖无择到先生家，得书十五篇，抄录后藏于秘阁中。

先生有一个儿子名大年，年龄还小。

铭曰：

圣人既殁，经典遭焚，东躲西藏，脱落凌乱，传承不易。众说纷纭，原貌渐失，怪诞迂腐，层出不穷，真伪混杂。后生位卑，默守成说，忧虑得失，欲见其真，寡难敌众，挽救弊端，救火不成，反添膏薪。勇敢夫子，排开层云，刮垢磨光，吞吐风云，日月之光，划破晨昏。功高盖世，无边无垠，想见其人，不止斯文。

黄梦升墓志铭

【题解】

本文选取作者与黄梦升交游的三个片段：由少年盛气自许，到虽不得志而意气尚存，再到不得志以死而独有文章在，描绘出一个才能杰出而郁郁不得志的知识分子形象，表达了对黄梦升一生壮志未酬、“有志难伸”的沉痛悲叹。

【原文】

予友黄君梦升，其先婺州金华人①，后徙洪州之分宁②。其曾祖讳元吉，祖讳某，父讳中雅，皆不仕。黄氏世为江南大族③，自其祖父以来，乐以家赀赈乡里，多聚书以招四方之士。

梦升兄弟皆好学，尤以文章意气自豪。予少家随州④，梦升从其兄茂宗官于随。予为童子，立诸兄侧，见梦升年十七八，眉目明秀，善饮酒谈笑。予虽幼，心已独奇梦升。

后七年，予与梦升皆举进士于京师。梦升得丙科⑤，初任兴国军永兴主簿⑥，怏怏⑦不得志，以疾去。久之，复调江陵府公安主簿⑧。时予谪夷陵令，遇之于江陵。梦升颜色憔悴，初不可识；久而握手嘘嚱⑨，相饮以酒。夜醉起舞，歌呼大噱⑩。予益悲梦升志虽衰，而少时意气尚在也。

后二年，予徙乾德令[11]，梦升复调南阳主簿[12]，又遇之于邓。间尝问其平生所为文章几何，梦升慨然叹曰："吾已讳之矣！穷达有命，非世之人不知我，我羞道于世人也。"求之不肯出，遂饮之酒。复大醉，起舞歌呼，因笑曰："子知我者！"乃肯出其文。读之，博辨雄伟，其意气奔放，犹不可御。予又益悲梦升志虽困，而独其文章未衰也。

是时谢希深出守邓州，尤喜称道天下士，予因手书梦升文一通[13]，欲以示希深。未及，而希深卒，予亦去邓。后之守邓者，皆俗吏，不复知梦升。梦升素刚，不苟合，负[14]其所有，常怏怏无所施，卒以不得志死于南阳。

梦升讳注，以宝元二年四月二十五日卒，享年四十有二。其平生为文，曰《破碎集》《公安集》《南阳集》，凡三十卷。娶潘氏，生四男二女。将以庆历四年某月某日，葬于董坊之先茔。其弟渭泣而来告曰："吾兄患世之莫吾知，孰可为其铭？"予素悲梦升者，因为之铭曰：

予尝读梦升之文，至于哭其兄子庠之词曰："子之文章，电激雷震；雨雹忽止，阒然灭泯。"未尝不讽诵叹息而不已。嗟夫梦升！曾不及庠！不震不惊，郁塞埋藏。孰与其有，不使其施？吾不知所归咎，徒为梦升而悲！

【注释】

①婺州金华：今浙江金华，宋属浙东路。

②洪州：今江西南昌，宋属江南西路。分宁：今江西修水，宋属洪州。

③江南：为江苏、安徽、江西三省之通称，因在长江之南，故名。

④随州：今湖北随州，宋属京西南路。

⑤丙科：在甲乙科之次。

⑥兴国军永兴：今湖北阳新，宋属江南西路。

⑦怏怏：情不满足。

⑧江陵府：今湖北荆州，宋属荆湖北路。公安：今湖北公安，宋属江陵府。

⑨嘘嚱：叹息。

⑩噱（jué）：大笑。

⑪乾德：今湖北老河口，宋属京西南路光化军。

⑫南阳：今河南南阳，宋属京西南路邓州。

⑬文书首尾全者曰“通”。

⑭负：自负。

⑮阒（qù）然：静貌。

⑯咎：归罪之意。

【译文】

我的朋友黄梦升，他的先祖是婺州金华人，后来迁徙到洪州分宁。他的曾祖父讳元吉，祖父讳某，父亲讳中雅，都没有做官。黄氏世代是江南的大族，自从他的祖父以来，乐于用家中的钱财赈济乡里百姓，收集大量图书而招徕各地的学士。

梦升兄弟都勤于学习，尤其以文章的志向与气概而自豪。我小时候住在随州，梦升也跟着在随州做官的哥哥茂宗客居于此。我当时还是小孩，站在他们兄弟身旁，我看到梦升年龄十七八岁，眉目明秀，善于饮酒谈笑。我虽然还年幼，但是我的心中已独独对梦升感到惊异。

后来过了七年，我和梦升都去京师参加科举。梦升考中丙科，先担任兴国军永兴主簿，怏怏不得志，因病去职。过了好久，他复起任江陵府公安主簿。此时我被贬为夷陵令，在江陵遇见梦升。梦升容颜神色憔悴，刚看到时还认不出来；过了好久才握着我的手叹息不已，并相约去喝酒。到了晚上他喝醉了，开始跳舞，唱着歌大声呼喊着。我更加为梦升壮志虽然衰退了，然而他年少时的意志气概尚且还在而感到悲伤。

又过了两年，我被调为乾德令，梦升又被调任南阳主簿，我们再次在邓州相遇。其间我有问过他平生所作的文章有哪些，梦升一脸感慨地叹息道："我已经不想提起写文章的事了！一个人得志与否是命中注定的，不是世上的人不知道我，而是我羞愧被世人所提起。"再三恳求他，他也不肯讲，于是继续喝酒。梦升又一次喝得大醉，起舞高歌叫喊，笑着说："你才是了解我的人啊！"梦升这才愿意把他的文章拿出来，我读了以后，感到他的文章博辩雄伟，意气奔放，像是不可驾驭。我又更加为梦升的志向虽然被困住了，然而他的文章并没有衰退而感到悲伤。

那个时候，谢希深出任邓州知州，他尤其喜欢结交并称赞天下贤士。于是我亲自抄写了梦升的一篇文章，想要寄给希深看。信还没到，希深就去世了，我也离开了邓州。后来知邓州的都是些庸俗的官吏，再也没有人赏识梦升了。梦升为人素来刚强，不愿意与世俗苟合，自负满腹才华，常为才能无所施展而郁郁不平，最后以不得志死在南阳。

梦升讳名注，于宝元二年(1039)四月二十五日逝世，享年四十二岁。他平生所做的文章，有《破碎集》《公安集》《南阳集》，总共三十卷。梦升娶妻潘氏，生有四男二女。将在庆历四年某月某日葬在位于董坊的先祖坟地中。梦升的弟弟黄渭哭着告诉我说："兄长忧虑世人没有理解他的，谁能为他写墓志呢？”我向来哀怜梦升，因此为梦升作的铭文说：

我曾经读梦升的文章，看到他为兄长的儿子黄庠所写的悼词：“你的文章，如电闪雷鸣。就像雨点夹杂着冰雹忽然而止，寂然消失。”我曾经反复诵读，叹息不已。唉，梦升！你的遭遇还不如黄庠！不声不响，忧郁闭塞，默默无闻而被埋没。是谁占有他，不能使他得以施展呢？我不知道要归咎于谁，只为梦升你而悲伤！

尹师鲁墓志铭

【题解】

尹师鲁是欧阳修的至交，议论高明，才能出众，而欧阳修在文中对他的忠义节操尤其赞许。尹师鲁被诬陷而遭贬官，最终忧愤而死，欧阳修十分悲痛，在文中十七次呼叫“师鲁”，令人泣下。

【原文】

师鲁，河南人，姓尹氏，讳洙。然天下之士，识与不识，皆称之曰师鲁，盖其名重当世。而世之知师鲁者，或推其文学，或高其议论，或多其材能；至其忠义之节，处穷达，临祸福，无愧于古君子，则天下之称师鲁者，未必尽知之。师鲁为文章，简而有法，博学强记，通知古今，长于《春秋》。其与人言，是是非非[①]，务穷尽道理乃已，不为苟止而妄随，而人亦罕能过也。遇事无难易，而勇于敢为。其所以见称于世者，亦所以取嫉于人[②]，故其卒穷以死。

师鲁少举进士及第，为绛州正平县主簿、河南府户曹参军、邵武军判官[③]。举书判拔萃[④]，迁山南东道[⑤]掌书记，知伊阳县[⑥]。王文康公荐其才，召试，充馆阁校勘，迁太子中允。天章阁待制范公贬饶州，谏官、御史不肯言，师鲁上书曰：“仲淹，臣之师友，愿得俱贬。”贬监郢州[⑦]酒税，又徙唐州[⑧]。遭父丧，服除，复得太子中允、知河

南县[9]。

赵元昊反，陕西用兵，大将葛怀敏奏起为经略判官[10]。师鲁虽用怀敏辟，而尤为经略使韩公[11]所深知。其后诸将败于好水[12]，韩公降知秦州[13]，师鲁亦徙通判濠州[14]。久之，韩公奏，得通判秦州，迁知泾州[15]，又知渭州兼泾原路经略部署[16]。坐城水洛与边将异议[17]，徙知晋州。又知潞州[18]，为政有惠爱，潞州人至今思之。累迁官至起居舍人、直龙图阁[19]。

师鲁当天下无事时，独喜论兵，为《叙燕》《息戍》二篇[20]，行于世。自西兵起，凡五六岁，未尝不在其间，故其论议益精密，而于西事尤习其详。其为兵制之说，述战守胜败之要，尽当今之利害。又欲训土兵代戍卒，以减边用[21]，为御戎长久之策，皆未及施为。而元昊臣，西兵解严[22]，师鲁亦去而得罪矣。然则天下之称师鲁者，于其材能，亦未必尽知之也。

初，师鲁在渭州，将吏有违其节度者，欲按军法斩之而不果。其后吏至京师，上书讼师鲁以公使钱贷部将[23]，贬崇信军节度副使[24]，徙监均州酒税[25]。得疾，无医药，舁至南阳求医。疾革[26]，凭几而坐，顾稚子在前，无甚怜之色。与宾客言，终不及其私。享年四十有六以卒。

师鲁娶张氏，某县君。有兄源，字子渐，亦以文学知名，前一岁卒。师鲁凡十年间，三贬官；丧其父，又丧其兄；有子四人，连丧其三；女一，适人亦卒；而其身终以贬死。一子三岁，四女未嫁。家无余资，客[27]其丧于南阳不能归，平生故人无远迩皆往赙之，然后妻子得以其柩[28]归

河南。以某年某月某日,葬于先茔之次。余与师鲁兄弟交,尝铭其父之墓矣[29],故不复次其世家焉。

铭曰:

藏之深,固之密。石可朽,铭不灭。

【注释】

①谓是者是之,非者非之。

②害贤曰嫉,谓其贤于己而恶之。

③绛州:今山西新绛,宋属河东路。正平县:今山西新绛西南,宋属绛州。户曹参军:官名,掌户籍、赋税、仓库受纳,为州郡之僚属。邵武军:今福建邵武,宋属福建路。

④书判:即签书判官厅公事。拔萃:系选人期未满,而以试判授官者。

⑤山南东道:唐置,领荆、襄、邓、唐、随、郢、复、均、房、峡、归、夔、万等州。今河南西南部、湖北北部、四川东部之地,宋初亦置节度,后罢。

⑥伊阳县:今河南汝阳,宋属京西北路河南府。

⑦郢州:今湖北钟祥,宋属京西南路。

⑧唐州:今河南泌阳,宋属京西南路。

⑨河南县:今河南洛阳,宋属京西北路河南府。

⑩葛怀敏:真定人,节度葛宝子。西兵起,任泾原路副总管兼招讨经略安抚副使。元昊寇镇戎军,怀敏御之,败死。

⑪韩公:即韩琦,时为陕西经略安抚副使。

⑫好水:即好水川,今名甜水河,在甘肃隆德东。庆历元年(1041),元昊寇渭州,琦悉兵付环庆副总管任福,令自怀远趋德胜寨,出敌后;度未可战,即设伏要其归;戒以苟违节制,虽胜亦斩。福与桑怿等

竟为元昊诱入伏中，没于好水川。

⑬秦州：今甘肃天水，宋属陕西秦凤路。福败，夏竦使人收散兵，得琦檄于福衣带间，言罪不在琦，琦亦上章自劾，夺一官，知秦州，寻复之。

⑭濠州：今安徽凤阳，宋属淮南西路。福败，洙发庆州部将刘政趋镇戎军赴救，未至，贼引去。竦奏洙擅发兵，降通判濠州。

⑮泾州：今甘肃泾川，宋属陕西秦凤路。

⑯渭州：今甘肃陇西西南，宋属陕西秦凤路。泾原路：即泾、原二州之境，今甘肃泾川、固原等地。

⑰水洛：故城在今甘肃庄浪东南。郑戬为陕西四路都总管，遣刘沪、董士廉城水洛，通秦渭援兵。洙以为城寨多则兵势分，奏罢之。时戬已解四路，而奏沪等督役如故。洙再召之不至，命张忠往代，又不受，乃谕狄青械沪、士廉下吏。戬论奏不已，卒徙洙庆州而城水洛。

⑱潞州：今山西长治，宋为河东路隆德府。

⑲起居舍人：官名，隶中书省，掌记天子言动，即古左右史之职。

⑳宋时西北久安，洙作《叙燕》《息戍》两篇，以为武备不可弛，《叙燕》言燕地足以支虏，宜分兵以守之；《息戍》言屯戍繁费，当籍当地丁民为兵，略如唐府兵之法。

㉑即《息戍》篇所云，增乡兵之数。

㉒解严：谓敌退之后，解弛防务也。

㉓公使钱：官之公费。宋初以前代牧伯，皆敛于民以佐厨传，因制公使钱以给其费。时士廉诣阙上书讼洙，诏遣刺史刘湜就鞫，不得他罪；而洙部将孙用，由军校补边，自京师贷息钱到官，无以偿，洙惜其才，恐以犯罪罢去，尝假公使钱为偿之，又以为尝自贷，因坐贬。

㉔崇信军：唐置，今甘肃崇信，宋后改县，属陕西秦凤路渭州。节度副

使：官名，为节度使之属。
㉕均州：今湖北郧阳，宋属京西南路。
㉖革（jí）：急也。
㉗客：寄也。
㉘柩：棺有尸谓之柩。
㉙洙父名仲宣，累官虞部员外郎，景祐四年（1037）知郢州，卒，修为墓志铭。

【译文】

师鲁，河南人，姓尹，名洙。可是天下的士人认识他的和不认识他的，都称他为师鲁，因为他的名声被当时人看重。而世上了解师鲁的人，有的推崇他的文学才能，有的佩服他的议论见解，有的赞美他的才干；至于说到他的忠义之节，无论处在逆境和顺境，面临灾祸和喜庆，都无愧于古时君子之风，而天下称赞师鲁的人未必全部知道这些。师鲁写文章，简洁而有章法，博学强记，通知今古，在《春秋》上有专长。他与人谈论，肯定对的，否定错的，一定要把道理说透彻才罢休，不随便停止而胡乱听从别人的意见，人们也很少有能超过他的。遇事无论难易，敢作敢为。他被世人称赞的原因，也是他被人嫉恨的原因，因此他最终处境艰难而死。

师鲁年少时考中进士，任绛州正平县主簿、河南府户曹参军、邵武军判官。又中书判拔萃科，升任山南东道掌书记，知伊阳县。王文康公荐举他的才能，皇帝召见面试后，担任馆阁校勘，又任太子中允。天章阁待制范公被贬到饶州，谏官、御史不肯替范公说话。师鲁上书说："仲淹，是臣的师友，希望能够一同被贬。"于是师鲁被贬监管郢州酒税，又被贬往唐州。遭遇父丧，守孝期满，又重新担任太子中允、河南知县。

西夏赵元昊造反，陕西一带兴兵作战，大将葛怀敏上奏朝廷起复师鲁担任经略判官。师鲁虽被怀敏征辟，但是尤得经略使韩公所赏识。后来诸将在好水川打了败仗，韩公被贬为秦州知州，师鲁也被贬到濠州任通判。过了很久，韩公上奏朝廷，师鲁又到秦州做通判，又任泾州知州，渭州知州兼泾原路经略部署。因筑水洛城之事与边将发生争执，被贬为晋州知州。又任潞州知州，处理政务有仁爱之心，潞州人至今思念他。累升官至起居舍人、直龙图阁。

师鲁在天下太平时，唯独喜欢谈论兵事，写了《叙燕》《息戍》两篇文章，流行于世。自西夏战事起，五六年间，他未尝不在其间，因此见解愈发精密，而且尤其熟悉西夏战事。他的军事制主张，述述了作战与防御、成功与失败的要义，全是当时利害所在。又想训练本地士兵代替戍守的士卒，来减少边境的开支，以此作为抵御外敌的长久之策，都未能施行。等到元昊臣服，西部边兵解弛防务，师鲁离开现职，他的言论主张也得罪了一些权臣。既然这样，那么天下称赞师鲁的人，对于师鲁的才能，也未必全部了解。

当初，师鲁在渭州任职，将吏有违背他调度的，想要按军法杀掉他们却未能做到。以后一些官吏到京师，向朝廷上书控告师鲁把公家的钱借予部将，师鲁被贬为崇信军节度副使，又调职监管均州酒税。生病，缺少医药，抬到南阳求医。病重，依着几案坐着，看到幼子在眼前，也没有疼爱的表情。和宾客谈话，最终不涉及他的私情。享年四十六去世。

师鲁娶妻张氏，某县君。兄长源，字子渐，也以文学知名当世，在前一年去世。师鲁在十年之间，三次被贬官；父亲去世，又遭兄丧；有四个儿子，接连死了三个；一个女儿刚嫁人就去世；而他自己也终于因被贬，困顿而死。死后尚有一个三岁的儿子，四个还未出嫁的女儿。家无余资，客死南阳而不能归葬，平生故人无论远近都来资助办理丧事，然后妻子儿女才得以扶柩归葬河南。以某年某月某日，葬于祖先坟茔旁。我与师鲁兄弟之交，曾经给他的父亲写过墓志铭，故不再罗列他的家世了。

铭文曰：埋藏至深，封固甚密。石头可朽坏，铭文永不磨灭。

太常博士尹君墓志铭

【题解】

尹源、尹洙兄弟二人与欧阳修交情深厚，所以能够准确地分别二尹性格上的差异。墓主尹源才能出众，见识极高，然不善于表现自己，不仅不受重用，还因正直的言论不容于当世。本文充分表达了对尹源不幸遭遇的深切同情。

【原文】

君讳源，字子渐，姓尹氏。与其弟洙师鲁，俱有名于当世。其论议文章，博学强记①，皆有以过人。而师鲁好辩，果于有为；子渐为人刚简，不矜饰，能自晦藏。与人居，久而莫知，至其一有所发，则人必惊伏。其视世事，若不干其意，已而榷其情伪②，计其成败，后多如其言。其性不能容常人，而善与人交，久而益笃。自天圣、明道之间，予与其兄弟交，其得于子渐者如此。

其曾祖讳谊，赠光禄少卿③。祖讳文化，官至都官郎中④，赠刑部侍郎⑤。父讳仲宣，官至虞部员外郎⑥，赠工部郎中⑦。子渐初以祖荫⑧补三班借职⑨，稍迁左班殿直。天圣八年，举进士及第，为奉礼郎⑩。累迁太常博士，历知芮城、河阳二县⑪，签署孟州判官事⑫，又知新郑县⑬，通判泾州、庆州，知怀州⑭。以庆历五年三月十四日卒于官。

赵元昊寇边，围定川堡[15]，大将葛怀敏发泾原兵救之。君遗怀敏书曰："贼举其国而来，其利不在城堡，而兵法有不得而救者；且吾军畏法，见敌必赴，而不计利害，此其所以数败也。宜驻兵瓦亭[16]，见利而后动。"怀敏不能用其言，遂以败死。刘涣知沧州[17]，杖一卒，不服。涣命斩之以闻，坐专杀，降知密州。君上书为涣论直，得复知沧州。

范文正公常荐君材可以居馆阁，召试，不用，遂知怀州，至期月[18]，大治。是时，天子用范文正公与今观文殿学士富公、武康军节度使韩公[19]，欲更置天下事。而权幸小人不便，三公皆罢去。而师鲁与时贤士，多被诬枉得罪[20]。君叹息忧悲发愤，以谓生可厌而死可乐也。往往被酒[21]，哀歌泣下，朋友皆窃怪之。已而以疾卒，享年五十。至和元年十有二月十三日[22]，其子材葬君于河南府寿安县甘泉乡龙洲里[23]。其平生所为文章六十篇[24]，皆行于世。男四人，曰材、植、机、杼。

呜呼！师鲁常劳其智于事物，而卒蹈[25]忧患以穷死。若子渐者，旷然不有累其心[26]，而无所屈其志，然其寿考亦以不长。岂其所谓短长得失者，皆非此之谓欤？其所以然者，不可得而知欤？

铭曰：

有韫于中不以施[27]，一愤乐死其如归。岂其志之将衰？不然，世果可嫉其如斯。

【注释】

①强记:谓强于记忆。

②榷(què):研讨。《庄子·徐无鬼》:"可不谓有大扬榷乎?"情伪:真假。

③光禄少卿:官名,为光禄寺卿之贰,宋初为寄禄官。

④都官郎中:官名,南宋置都官尚书,主军事刑狱。隋改都官为刑部尚书。宋置都官郎中一人,掌徒流配隶等事,为刑部之曹属。

⑤刑部侍郎:官名,为刑部尚书之贰,参掌天下刑狱之政令。

⑥虞部员外郎:官名,为工部之曹属,掌山泽、苑囿、场冶之事。

⑦工部郎中:官名,参掌制作、营缮、计置、采伐材物等事。

⑧祖荫:谓因祖父之勋劳而得官,即任子。

⑨三班借职:为武秩中之最低者。参看《石曼卿墓表》注。

⑩奉礼郎:官名,太常寺属官,掌奉币帛授初献官,大礼则设亲祠版位。

⑪芮城:今山西芮城,宋属陕西永兴军路陕州。河阳:今河南孟州,宋属京西北路孟州。

⑫孟州:今河南孟州,宋属京西北路。

⑬新郑县:今河南新郑,宋属京西北路郑州。

⑭怀州:今河南沁阳,宋属河北西路。

⑮定川堡:在甘肃镇原西北。庆历二年(1042),怀敏御元昊于此,敌毁桥断其归路,怀敏突围走,至长城,濠路已断,死焉。

⑯瓦亭:山名,在甘肃华亭西北,其西麓有瓦亭关。

⑰刘涣:字仲章,保州保塞人,累官至镇宁军节度观察留后,以工部尚书致仕。沧州:今河北沧州,宋属河北东路。

⑱期月:满一月。《论语·子路》:"子曰:'苟有用我者,期月而已可

也，三年有成。'"

⑲武康军：今陕西洋县，宋为利州路洋州。

⑳范仲淹、富弼、韩琦并相，立按察使，更定磨勘任子之法，侥幸者不便，夏竦等造为飞语，仲淹等不自安，请行边。庆历五年(1045)，罢仲淹知邠州，弼知郓州，琦知扬州，洙及苏舜钦等咸得罪。

㉑被酒：醉酒。

㉒至和：宋仁宗年号。

㉓寿安县：今河南宜阳，宋属河南府。

㉔按《宋史》源传，有《唐说》《叙兵》二篇。

㉕蹈：以身赴。

㉖旷然：旷达貌。

㉗韫：藏也。

【译文】

君讳名源，字子渐，姓尹。和他的弟弟洙，即师鲁，都盛名于当世。他的言论文章，都表明他见闻广博，记忆力强，有过人之处。师鲁喜欢与人辩论，果敢而有决断；子渐为人则刚强率略，不夸耀美化自己，含蓄蕴藉。和他人相处，很久也不被人留心注意，等到他一发表意见，一定会使众人惊叹折服。他看待世事，似乎都和自己毫不相干，然后推究究是真是假，估算是成是败，事后大多和他说的一样。他天性不能容纳平庸的人，却擅长和他人交往，越久情谊越深。自天圣、明道年间起，我和他们兄弟交游往来，其中对子渐的印象大体就这样。

他的曾祖讳谊，追赠光禄少卿。祖父讳文化，官至都官郎中，追赠刑部侍郎。父亲讳仲宣，官至虞部员外郎，追赠工部郎中。子渐最初依靠祖辈的功勋，补荫三班借职，后来升迁左班殿直。天圣八年，进士及第，授奉礼郎。累次升迁任太常博士，先后担任芮城、河阳两个县的知县，签署孟州判官事，又担任新郑县知县，泾州、庆州通判，怀州知州。庆历五年(1045)三月十四日，在官任上去世。

西夏赵元昊侵犯边境，包围定川堡，大将葛怀敏征调泾原驻军去救援。子渐写信给葛怀敏道："叛贼举国之兵来犯，目的不在于攻取坚城，兵法上载明不能够去救援；然而我军害怕军法惩处，发现敌军后一定要奔赴去迎战，完全不考虑利害，这大概是屡次战败的原因。应该驻军瓦亭，等待有利时机再采取行动。"葛怀敏没有采纳他的建议，最终兵败被杀。刘涣担任沧州知州，对一个差役用杖刑，差役不服。刘涣下令处决了他，然后才上报朝廷，结果被判定为专杀，被降职为密州知州。子渐上书替刘涣论辩申雪，才得以重新担任沧州知州。

范文正公常常向朝廷推荐子渐的才能可以任职于馆阁，虽然曾被召试，却未被任用，于是担任了怀州知州，才一个月，该州大治。此时，天子重用范文正公和今观文殿学士富公、武康军节度使韩公，想要改革变法，然而那些有权势且被宠幸的奸佞小人觉得对己不利，多方阻挠，三位大人都被免职。师鲁和当时的贤能之士，大多被诬陷冤枉而获罪。子渐又是叹气连连又是忧愁悲痛，不断发泄愤懑之情，甚至认为活着值得憎恶而死亡值得高兴。常常喝得大醉，悲歌痛哭，朋友们私下都感到奇怪。不久，就因病去世，享年五十岁。至和元年(1054)十二月十三日，他的长子尹材安葬他在河南府寿安县甘泉乡龙洲里。他平生撰写的文章有六十篇，都流传于世。有四个儿子，分别叫材、植、机、杼。

唉！师鲁常常在事务方面耗费心力，最终使自己陷入困苦忧患而郁郁不得志地去世。至于子渐，处世豁达，没有什么可以让他劳心的，因而也没有什么可以让他曲意迁就的，然而他的寿命也不长。莫非所谓的长短得失的真实含义并非如此？而为什么会是这样，竟也不可得知吗？

墓志铭曰：胸怀榅怒而从不外漏，一旦发泄愤懑就如同归家那样乐于赴死。莫非他的意志将要消沉？不然的话，人世果真可以如此嫉恨他吗？

梅圣俞墓志铭

【题解】

梅圣俞仕途不得志，但是诗的成就极高。这篇墓志描绘梅圣俞之死引发的不同寻常的反映，来证明梅圣俞诗作的影响力，极富说服力。同时，也对他的仕途不得志表示深切的同情。

【原文】

嘉祐五年，京师大疫。四月乙亥，圣俞得疾，卧城东汴阳坊。明日，朝之贤士大夫往问疾者，驺呼属路不绝[①]。城东之人，市者废，行者不得往来，咸惊顾相语曰："兹坊所居大人谁邪？何致客之多也！"居八日，癸未，圣俞卒。于是贤士大夫又走吊哭如前，日益多。而其尤亲且旧者，相与聚而谋其后事。自丞相以下，皆有以赙恤其家。粤[②]六月甲申，其孤增载其柩南归，以明年正月丁丑，葬于宣州阳城镇双归山[③]。

圣俞，字也，其名尧臣，姓梅氏，宣州宣城人[④]。自其家世颇能诗，而从父询以仕显[⑤]，至圣俞遂以诗闻。自武夫、贵戚、童儿、野叟，皆能道其名字。虽妄愚人不能知诗义者，直曰："此世所贵也，吾能得之。"用以自矜。故求者日踵门，而圣俞诗遂行天下[⑥]。其初喜为清丽，闲肆平淡，久则涵演[⑦]深远，间亦琢刻[⑧]以出怪巧，然气完力余，益老以劲。其应于人者多，故辞非一体[⑨]。至于他文章皆可喜，非如唐诸子号诗人者僻固而狭陋也。圣俞为人，仁厚乐易，未尝忤[10]于物。至其穷愁感愤，有所骂讥笑谑，一发于诗。然用以为欢，而不怨怼[11]，可谓君子者也。

初，在河南，王文康公见其文，叹曰："二百年无此作矣！"其后大臣屡荐宜在馆阁，尝一召试，赐进士出身，余辄不报。嘉祐元年，翰林学士赵槩等十余人，列言于朝曰："梅某经行修明，愿得留与国子诸生讲论道德，作为雅颂，以歌咏圣化。"乃得国子监直讲。三年冬，祫于太庙[12]，御史中丞韩绛[13]言："天子且亲祠，当更制乐章以荐祖考[14]，惟梅某为宜。"亦不报。

圣俞初以从父荫补太庙斋郎，历桐城、河南、河阳三县主簿[15]，以德兴县令知建德县[16]，又知襄城县[17]，监湖州盐税，签署忠武、镇安两军节度判官[18]，监永济仓[19]，国子监直讲，累官至尚书都官员外郎[20]。尝奏其所撰《唐载》二十六卷，多补正旧史阙缪[21]，乃命编修《唐书》[22]。书成，未奏而卒[23]，享年五十有九。

曾祖讳远，祖讳邈，皆不仕。父讳让，太子中舍致仕，赠职方郎中[24]。母曰仙游县[25]太君束氏，又曰清河县[26]太君张氏。初娶谢氏，封南阳县君；再娶刁氏，封某县君。子男五人，曰增，曰墀，曰坰，曰龟儿，一早卒。女二人，长适太庙斋郎薛通，次尚幼。

圣俞学长于《毛诗》[27]，为《小传》二十卷。其《文集》四十卷[28]，注《孙子十三篇》[29]。余尝论其诗曰："世谓诗人少达而多穷，盖非诗能穷人，殆穷者而后工也。"圣俞以为知言。

铭曰：

不戚其穷，不困其鸣，不踬[30]于艰，不履于倾。养其和平，以发厥声。震越浑锽[31]，众听以惊。以扬其清，以播其英，以成其名，以告诸冥。

【注释】

①驺：显贵出门，其前导与从骑，皆曰驺。呼：驺从传呼也。

②粤：发语词。

③宣州：今安徽宣城，宋为淮南西路宁国府。

④宣城：今安徽宣城，宋属宁国府。

⑤从父：叔父。询字昌言，翰林侍读学士，累迁给事中，出知许州，卒，修为墓志铭，《宋史》有传。

⑥时皇亲有以钱数千购尧臣诗一篇者；苏轼尝于淯水监得西南夷蛮布弓衣，其文织成尧臣《春雪诗》，其名重于时如此。

⑦演：润也。

⑧琢刻：雕琢刻画。

⑨谓多与人唱酬，辄仿其人之体制也。

⑩忤：逆也。

⑪怼：怨也。

⑫祫(xiá)：大合祭先祖。合祭之时，以毁庙之祖，陈于太祖之庙；未毁庙之祖，皆升，合食于太祖，故曰祫。

⑬韩绛：字子华，开封雍邱人，累官同平章事，昭文馆大学士，封康国公，卒谥献肃。

⑭古者郊庙祭祀，必歌乐章以迎神送神；宋初郊庙乐章，多词臣窦俨、吕夷简、陶穀、杨亿等所撰。

⑮桐城：今安徽桐城，宋属淮南西路安庆府。

⑯德兴：今江西德兴，宋属江南东路饶州。建德：今安徽东至，宋属江南东路池州。

⑰襄城：今河南襄城，宋属京西北路汝州。

⑱忠武军，今河南许昌，宋为京西北路颍昌府。镇武军，今河南淮阳，宋为京西北路淮宁府。

⑲永济：今山东临清南，宋属河北东路大名府。按《宋史》本传，作永丰，今江西永丰，宋属淮南西路信州。

⑳尚书都官员外郎：官名，位在都官郎中下，都官为刑部曹属，刑部隶尚书省。

㉑缪：与“谬”通。

㉒《旧唐书》二百卷，后晋刘昫等奉敕撰，惟繁略不均，是非失实，校之实录，多所阙漏。故仁宗嘉祐中，诏曾公亮等删定，修及宋祁，分撰纪、志、列传，为《新唐书》二百二十五卷。

㉓尧臣受敕修《唐书》，语其妻刁氏曰：“吾之修书，可谓猢狲入布袋。”刁曰：“君于仕宦，亦何异鲇鱼上竹竿耶！”

㉔职方郎中：官名，《周官》有职方氏，掌天下之地图，主四方之职贡，隋置职方侍郎，唐属于兵部，宋因之，置郎中、员外郎各一人。

㉕仙游：见《胡先生墓表》莆阳注。

㉖清河：今河北清河，宋属河北东路恩州。

㉗《毛诗》：即《诗经》，以其书为汉毛公所传，故名。毛公有二：大毛公名亨，鲁国人；小毛公名苌，赵国人。今所传之毛诗，即《汉书·艺文志》之《毛诗故训传》三十卷，后汉郑玄为之《笺》，自是齐、鲁、韩三家之诗遂废，《毛诗》独存。

㉘尧臣有《宛陵集》四十卷行世。

㉙《孙子十三篇》，春秋时齐人孙武所作，武以兵法见吴王阖闾，用之为将，遂霸诸侯，著书十三篇，为兵家所祖。

㉚踬：受挫折。

㉛越：发扬。浑：厚也。锽（huáng）：钟鼓之声。

【译文】

嘉祐五年（1060），京师瘟疫流行。四月乙亥，圣俞感染上疾病，卧病城东的汴阳坊。第二天，朝廷上的那些杰出的士大夫都前去探望，车辆络绎不绝。住在城东的人，做生意的只好暂时歇业，行人都无法继续通行了，大家都感到惊奇，相互打听道："本坊住着哪位大人物？为何招来这么多客人？"又过了八天，癸未，圣俞病逝。于是那些贤士大夫们又像前日那样纷纷前往吊唁、哀哭。而跟圣俞特别亲近的老朋友们聚集在一起商量该如何办理他的后事。自丞相以下，都赠送财物帮助办理丧事，周济他的家人。六月甲申，他的遗孤梅增才运载他的灵柩回到南方。第二年正月丁丑，葬于宣州阳城镇双归山。

圣俞，是他的字，他的名字叫尧臣，姓梅，宣州宣城人。其家族世代擅长作诗，他的叔父梅询因做官而地位颇为显赫，到圣俞则以诗名闻天下。无论是武夫、贵戚，还是儿童、山野中的老人，都能说出他的名字。即使是既狂妄又愚蠢而且完全不解诗意的人，也会直截了当地说："这是举世所宝贵的，我能得到他的诗。"以此来自我夸耀。所以求诗的人每天都接连不断地亲自登门，圣俞的诗于是风行天下。起初，他的诗喜欢追求清丽闲雅、恣肆平淡的风格，后来就变得涵容深邃，偶尔也雕琢词句而表现得怪异奇巧，然而气势充沛，富有力度，笔法更加遒劲老辣。他应别人请求而作的诗很多，所以他的诗体裁不一致。至于他的文章，也都令人喜爱，并不像唐代那些号称诗人的学者的文章那样怪僻拘泥、狭隘浅陋。圣俞为人，仁爱厚道，和乐而平易近人,从不曾和其他人有过抵牾。当他穷困忧伤、感慨愤懑时,凡是对事情有所谩骂讥讽、嘲笑戏谑,全都在诗歌里表现出来。然而他只是以诗取乐,而不是借此抱怨什么,真可谓君子。

当初圣俞在河南时,王文康公看了他的文章,感叹道:"两百年来没有见过这样的文章了!"此后,大臣们屡次荐举他应该在馆阁任职,朝廷曾经召他去应试,赐他为进士出身,其余则没有下文了。嘉祐元年(1056),翰林学士赵槩等十多人在朝廷上陈言说:"梅某人的学问精湛,行为端正,希望他能留下与国子监诸生员讲论道德,创作雅颂以歌咏圣明的教化。"这样,圣俞才获得了国子监直讲的职务。嘉祐三年(1058)的冬天,在太庙举行祫礼,御史中丞韩绛上言:"如今天子要亲自去祭祀,应当重新创制乐章以进献祖先。这件事只有梅某人最适宜。"亦没有下文。

圣俞当初凭借叔父的恩荫,补为太庙斋郎,历任桐城、河南、河阳三县主簿,由德兴县令担任建德知县,又任襄城知县,监管湖州盐税,签署忠武、镇安两军节度判官,监永济仓,国子监直讲,累官至尚书都官员外郎。他曾将自己所编撰的《唐载》二十六卷献给朝廷,多能补正旧史的缺漏和错误,于是朝廷命令圣俞修《唐书》。书完成后,尚未敬献给朝廷,圣俞便去世了,享年五十九岁。

圣俞的曾祖讳远,祖父讳邈,都不曾做官。父亲讳让,以太子中舍致仕,后追赠职方郎中。母亲是仙游太君束氏,又一母亲是清河县君张氏。圣俞最初娶谢氏,封南阳县君;再娶刁氏,封某县君。有五个儿子,其名分别叫增、墀、坰、龟儿,另外一子早卒。有两个女儿,长女嫁太庙斋郎薛通,次女尚年幼。

圣俞的学问以《毛诗》见长,作《小传》二十卷。他的文集有四十卷,还为《孙子》十三篇作了注解。我曾经评论他的诗歌说:"世人都说诗人很少显达而大多穷困,这并非诗能使人穷困,而是因为诗人在穷困潦倒之后诗才写得好。”圣俞认为这是知己所说的话。

铭文曰：你不为贫穷而悲戚，不为困苦而哀鸣，不被艰难绊倒，不走危险途径。你颐养精神而心气和平，发出自己的声音。这声音锽然清越，众人听了都震惊。这声音扬起清新，远播你的英名，成就你的名声，我以此告慰你的在天之灵。

徂徕石先生墓志铭[①]

【题解】

墓主徂徕先生石介与欧阳修交情甚笃，文学、政治主张颇为类似，都反对宋初以来的时文弊端，积极支持和参与庆历新政。这篇墓志铭高度赞扬了徂徕先生的才能和品格，表达了对他的深切怀念，亦借题发挥，表明自己毫不妥协的立场。

【原文】

徂徕先生，姓石氏，名介，字守道，兖州奉符人也[②]。徂徕，鲁东山，而先生非隐者也，其仕尝位于朝矣。鲁之人不称其官而称其德，以为徂徕鲁之望[③]，先生鲁人之所尊，故因其所居山以配其有德之称，曰“徂徕先生”者，鲁人之志也。

先生貌厚而气完，学笃而志大，虽在畎亩[④]，不忘天下之忧。以谓时无不可为，为之无不至，不在其位，则行其言。吾言用，功利施于天下，不必出乎己；吾言不用，虽获祸咎，至死而不悔。其遇事发愤，作为文章，极陈古今治乱成败，以指切[⑤]当世；贤愚善恶，是是非非，无所讳忌。世俗颇骇其言，由是谤议喧然。而小人尤嫉恶之，相与出力必挤之死。先生安然，不惑不变，曰：“吾道固如是，吾勇过孟贲矣[⑥]。”不幸遇疾以卒。既卒，而奸人有欲以奇祸中伤大臣者，犹指先生以起事，谓其诈死而北走契

丹矣，请发棺以验。赖天子仁圣，察其诬，得不发棺，而保全其妻子[⑦]。

先生世为农家，父讳丙，始以仕进，官至太常博士。先生年二十六，举进士甲科，为郓州观察推官，南京留守推官。御史台辟主簿[⑧]，未至，以上书论赦，罢不召[⑨]。秩满，迁某军节度掌书记[⑩]。代其父官于蜀，为嘉州军事判官[⑪]。丁内外艰去官[⑫]，垢面跣[⑬]足，躬耕徂徕之下，葬其五世未葬者七十丧。服除，召入国子监直讲。

是时，兵讨元昊久无功，海内重困，天子奋然思欲振起威德，而进退二三大臣，增置谏官御史，所以求治之意甚锐。先生跃然喜曰："此盛事也！雅颂吾职[⑭]，其可已乎？"乃作《庆历圣德诗》，以褒贬大臣[⑮]，分别邪正，累数百言[⑯]。诗出，太山孙明复曰："子祸始于此矣。"明复，先生之师友也。其后所谓奸人作奇祸者，乃诗之所斥也。

先生自闲居徂徕，后官于南京，常以经术教授。及在太学，益以师道自居，门人弟子从之者甚众。太学之兴，自先生始。其所为文章，曰某集者若干卷，曰某集者若干卷[⑰]。其斥佛、老、时文[⑱]，则有《怪说》《中国论》，曰："去此三者，然后可以有为。"其戒奸臣、宦女[⑲]，则有《唐鉴》，曰："吾非为一世监也。"其余喜怒哀乐，必见于文。其辞博辨雄伟，而忧思深远。其为言曰："学者，学为仁义也。惟忠能忘其身，惟笃于自信者，乃可以力行也。"以是行于己，亦以是教于人。所谓尧、舜、禹、汤、文、武、周公、孔子、孟轲、扬雄、韩愈氏者[⑳]，未尝一日不诵于口，思与天下之士，皆为周、孔之徒，以致其君为尧舜之君，民为尧舜

之民，亦未尝一日少忘于心。至其违世惊众，人或笑之，则曰："吾非狂痴者也。"是以君子察其行而信其言，推其用心而哀其志。

先生直讲岁余，杜祁公荐之天子，拜太子中允。今丞相韩公又荐之，乃直集贤院。又岁余，始去太学，通判濮州[21]。方待次于徂徕[22]，以庆历五年七月某日卒于家，享年四十有一。友人庐陵欧阳修哭之以诗，以谓待彼谤焰熄，然后先生之道明矣[23]。先生既没，妻子冻馁不自胜，今丞相韩公与河阳富公分俸买田以活之。后二十一年，其家始克葬先生于某所。将葬，其子师讷与其门人姜潜、杜默、徐遁等来告[24]曰："谤焰熄矣，可以发先生之光矣，敢请铭！"某曰："吾诗不云乎，'子道自能久'也，何必吾铭？"遁等曰："虽然，鲁人之欲也。"乃为之铭曰：

徂徕之岩岩[25]，与子之德兮，鲁人之所瞻。汶水之汤汤[26]，与子之道兮，逾远而弥长。道之难行兮，孔孟亦云遑遑[27]！一世之屯兮，万世之光！曰吾不有命兮，安在夫桓魋与臧仓[28]？自古圣贤皆然兮，噫，子虽毁其何伤！

【注释】

①徂徕：山名，一名尤来，在山东泰安东南四十里，山多松柏，《诗·鲁颂》所谓"徂徕之松"是也。

②兖州：今山东兖州，宋属京东西路，后升袭庆府。奉符：今山东泰安，宋属兖州。

③望：瞻仰之意，古者诸侯祭其境内山川曰望。《左传》："三代命祀，祭不越望，江、汉、睢、漳、楚之望也。"

④畎(quǎn):田间小沟;田二百四十方步为亩。

⑤指切:指斥讥切。

⑥孟贲(bēn):齐之勇士,力能生拔牛角,秦武王好力士,贲往归焉。《孟子·公孙丑》:"夫子过孟贲远矣。"

⑦孔直温谋反,搜其家,得介书,夏竦衔介甚,且欲中伤杜衍等,因言介诈死走契丹,请发棺验。诏下京东,访其存亡。衍时在兖州,以语官属掌书记龚鼎臣,愿以阖族保介必死;提点刑狱吕居简亦言:"介死必有亲族门生会葬,及棺敛之人,苟召问无异,即令具军令状保之,亦足应诏。"于是众数百保介必死,乃免斲棺。子弟羁管他州,久之得还。

⑧秦汉御史大夫之署曰府,后汉以来,始曰御史台,专司弹劾之任。

⑨介论赦书不当求五代及诸伪国后,罢。

⑩《本传》作镇南军,今江西南昌,宋为江南西路隆兴府。

⑪嘉州:今四川乐山,宋为成都府路嘉定府。

⑫丁父丧曰外艰,母丧曰内艰。

⑬跣(xiǎn):赤脚。

⑭《诗》有六义:一曰风,二曰赋,三曰比,四曰兴,五曰雅,六曰颂。雅,正也,有《大雅》《小雅》之分;颂,容也,谓乐章之兼有舞容者,《商颂》《周颂》《鲁颂》是也。

⑮赞美之曰"褒",非刺之曰"贬"。

⑯庆历三年(1043),吕夷简罢相,章得象、贾昌朝、晏殊、韩琦、范仲淹、富弼同执政;修及王素、余靖、蔡襄为谏官;夏竦既拜,复夺之,代以杜衍。介因作《庆历圣德诗》,有"众贤之进,如茅斯拔;大奸之去,如距斯脱"之语。大奸,盖斥竦也。

⑰介有《徂徕集》二十卷行于世。

⑱佛：见《本论》注。老：老子，姓李名聃，楚之苦县人，为周守藏史。周衰，去而西出函关，著《道德经》五千余言，以清净无为为主，是为道家之祖。时文：别于古文而言，谓应试之文。宋初沿唐末五季之习，士子习为骈俪之文，号曰四六，专以声病对偶为工，剽剥故事，雕刻破碎，甚者若俳优之词，若杨亿、刘筠等，称西昆体，文体大坏。

⑲宦女：宦官、女子也。宦官：阉人，今谓之太监。

⑳禹：姒姓，鲧之子，与舜俱臣于尧，后受舜禅为天子，是为夏之始祖。汤：子姓，名履，契之后，夏时诸侯。夏桀无道，汤放之于南巢，遂即位，国号商。文：周文王，姬姓，名昌，弃之后，商时诸侯，为西方诸侯之长，称曰西伯。武：周武王，名发，文王子，商纣暴虐，灭之而有天下，国号周，追尊西伯为文王。周公：名旦，文王子，武王弟，相武王伐纣，武王崩，成王幼，周公摄政，定制度礼乐，天下大治，子孙封于鲁为诸侯。扬雄：字子云，汉成都人，好学博闻，成帝时，献《甘泉》《河东》《长杨》《羽猎》四赋，著有《太玄》《法言》《方言》等书。韩愈：字退之，唐河南河阳（今孟州）人，擢进士第，累官监察御史，宪宗时，谏迎佛骨，贬潮州刺史，后召拜国子祭酒，官至吏部侍郎，卒，谥曰文。其先世居昌黎，宋追封昌黎伯，文曰《昌黎先生集》，原本六经，一洗六朝繁缛之习，为后世所宗。余见《本论》注。

㉑濮州：今河南濮阳，宋属京东西路。

㉒补官必循次第，故候补官缺者曰待次，亦曰需次。

㉓修有《读徂徕集》及《重读徂徕集》两诗，有“待彼谤焰熄，放此光芒悬”“子道自能久，吾言岂须镌”等语。谤焰：谓毁谤者之气焰。

㉔姜潜：字至之，兖州奉符（今山东泰安）人，知陈留县，青苗令下，移疾去，《宋史》隐逸有传。杜默：字师雄，历阳人，豪于歌行，修集有《赠杜默诗》。徐遁：未详，待考。

㉕岩岩：高峻貌。《诗·鲁颂·閟宫》篇："泰山岩岩，鲁邦所瞻。"

㉖汶水：出山东莱芜东北原山，西南流经泰安东，与石汶、牟汶、北汶、柴汶诸水会，西流至东平，与大清河、小清河会，又西至汶上西南，入于运河。汤汤(shāng)：水流貌。

㉗遑遑：亦作皇皇，心不定。

㉘桓魋(tuí)：春秋是宋人，官司马，孔子适宋，魋欲杀之，孔子微服过焉，曰："天生德于予，桓魋其如予何？"臧仓：战国时鲁平公嬖人。平公将见孟子，仓以孟子后丧逾前丧沮之，孟子曰："吾之不遇鲁侯，天也。臧氏之子，焉能使予不遇哉？"

【译文】

徂徕先生，姓石，名介，字守道，兖州奉符人。徂徕山是鲁地东部的一座山，徂徕先生并非一个隐者，他曾经在朝堂上为官，而鲁人对他并不以官位而是以其德行称赞他，徂徕山是鲁地名山，徂徕先生是鲁人所尊敬的人，因此用他所居住的徂徕山来匹配他德高望重的称号，称其为"徂徕先生"，正表达了鲁人的对先生的仰慕。

先生外貌忠厚，气度浑然，学问笃实，志向远大，虽然弃官归田，但仍然心忧天下。他认为时时刻刻都可以有所作为，有所作为就没有办不到的事，不在其位，也应该践行自己的言论。如果自己的言论被采纳，并因此而使天下获益，也不要归功于自己；言论不被采纳，即使因此招来祸患，甚至为此死亡也不会懊悔。如果遇事内心有所积郁不满，就写成文章，极力陈述从古到今国家兴衰治乱成败的因由，借以指斥讥讽当今社会的弊端；指出贤明的或愚笨的，善良的或不对的，肯定正确的见解，批评不对的事情，从来不避讳什么。世俗之人很是惊异他的直言不讳，因此对他批评扰扰，议论纷纷。而那些小人尤其嫉妒厌恨他，勾结起来排挤他，必欲置之于死地。徂徕先生却安然处之，既不疑惑，也不改变自己的言行，说："我信仰的道本来就是如此，我的勇气超过孟贲。"不幸的是他染病而死。他死后，有奸人想要用阴谋诡计来中伤大臣，诬陷先生谋反，说他诈死而北上契丹，请求开棺验尸。好在天子圣明仁爱，发觉此事纯属诬陷，才得免于开棺，并保全了妻子儿女。

先生家世代务农，直到他的父亲石丙才开始做官，官至太常博士。先生年二十六岁时，进士甲科及第，被任命为郓州观察推官、南京留守推官。御史台征辟先生为主簿，尚未赴任，就因为上书论"赦"，被朝廷收回成命。直到任期届满，被调任某军节度掌书记。代替父亲入蜀做官，为嘉州军事判官。后遇父母丧而去职，蓬头垢面，赤裸双脚，亲自在徂徕山下耕耘，并为五服之内未葬的七十位亲属举行了丧祭。服丧期满，奉召任国子监直讲。

当时，大军征讨李元昊，旷日持久，未获成功，全国疲敝困扰，天子决心要振作朝廷的权威和德望，决定进用和罢退几员大臣，并增设谏官御史，所有这一切都表明天子确实锐意求治。先生为此欢呼雀跃，高兴地说："这确实是盛世啊！歌功颂德是我的职责，怎能无动于衷呢？"于是作了《庆历圣德诗》，褒贬大臣，区别正邪，长达数百言。此诗一经流传，泰山孙明复先生说："你从此要大祸临头了。"明复之于先生，亦师亦友。后来所谓要以阴谋诡计害人的奸人，正是这首诗斥责的对象。

先生独自一人在徂徕山闲居，后来在南京做官，长期教授他人研习经术。等到他后来在太学任职，愈加以为师之道自居，跟从他学习的门人弟子很多。太学之兴盛，正是从先生那时开始的。先生所写的文章，称某集的若干卷，称某集的若干卷。先生所作的关于攘斥佛家、道家者流及时文的文章，则有《怪说》《中国论》，他说："把这三者抛弃，然后才能有所成就。"此外为警诫奸臣以及专门取悦皇帝的宦官、宫娥，还著有《唐鉴》，他说："我不仅仅是以唐朝这一代作为诫鉴。"大凡喜怒哀乐，都表现在他的文章之中。他的文辞宏富，明辨是非，气势雄壮，并且所流露的忧思意味深长。他说："所谓学，就是学习如何才能达到仁、义的境界。只有忠于某事才能忘却自己，只有信念坚定才能努力践行。"他自己身体力行，同时以这样的道理来教育众人。对于尧、舜、禹、汤、文、武、周公、孔、孟、扬雄、韩愈诸人，先生无日不在口中称颂，希望自己与天下士人都能成为周公、孔子的信徒，从而使国君成为尧舜一样的君王，民众成为尧舜时代那样的人民，这样的理想他未尝一日忘怀于心。至于他违背世俗，惊动世人，甚至被人嘲笑，他却说："我既不是狂人，也不是痴人。"于是，正人君子观察他的所作所为才信服其言论，推测他的用心才同情其志向。

先生在太学执教一年有余，因杜祁公向天子推荐，拜为太子中允。不久，丞相韩琦公又推荐，于是出任直集贤院。一年后始离开太学，出任濮州通判。正当他在徂徕待次之时，庆历五年(1045)七月某日于家中去世，享年四十一岁。友人庐陵欧阳修哭着赋诗哀悼，认为只有待那些非议之语停息了以后，徂徕先生提倡的道才可以昭明天下。先生去世之后，妻子儿女贫困不堪，忍饥受冻，丞相韩公和河南富公拿出自己的部分俸禄帮助购买田产，来维持他们的生活。过了二十一年，家人才有能力将先生安葬于某个地方。将要举行葬礼时，徂徕先生的儿子石师讷和弟子姜潜、杜默、徐遁等前来告知我说："对先生的诽谤平息了，现在可以弘扬先生的美德了，所以我们大胆请求您撰写一篇墓志铭。"我回答说："我的诗不是说过吗，'子道自能久'，何必再让我写墓志铭呢？"徐遁等人说："虽然如此，请先生写一篇墓志铭，仍是鲁人的意愿。”于是我为徂徕先生作铭文曰：

徂徕山险峻巍巍，正应先生的品德啊，供鲁人瞻仰。汶水浩浩汤汤，正合先生的思想啊，流传久远，影响深长。圣贤之道难以实行啊，像孔孟那样的圣贤也为此终日遑遑！然而一世的艰难险阻，终于放出万世光芒！正如孔夫子所说的：“天命在我，那桓魋和臧仓又能奈我何呢？”自古以来圣贤皆如此，先生您即使遭到毁谤又有什么损伤！

南阳县君谢氏墓志铭

【题解】

本文是欧阳修为友人梅圣俞之妻而作，从谢氏善于持家、安贫乐道、富有远见卓识三个方面描绘了一位贤妻的形象。文章全借梅圣俞口吻来写，感情真挚自然，在墓志铭中别具一格。

【原文】

庆历四年秋，予友宛陵梅圣俞来自吴兴[1]，出其哭内[2]之诗而悲曰："吾妻谢氏亡矣！"丐[3]我以铭而葬焉。予诺之，未暇作。

居一岁中，书七八至，未尝不以谢氏铭为言。且曰："吾妻故太子宾客讳涛之女[4]、希深之妹也。希深父子为时闻人[5]，而世显荣。谢氏生于盛族，年二十以归吾，凡十七年而卒。卒之夕，敛[6]以嫁时之衣，甚矣吾贫可知也；然谢氏怡然处之。治其家有常法：其饮食器皿，虽不及丰侈，而必精以旨；其衣无故新，而浣濯缝纫[7]，必洁而完；所至官舍虽卑陋，而庭宇洒扫，必肃而严；其平居语言容止，必从容以和。吾穷于世久矣，其出而幸与贤士大夫游而乐，入则见吾妻之怡怡而忘其忧，使吾不以富贵贫贱累其心者，抑吾妻之助也。吾尝与士大夫语，谢氏多从户屏间窃听之，闲则尽能商榷其人才能贤否，及时事之得失，皆有条理。吾官吴兴，或自外醉而归，必问曰：'今日

孰与饮而乐乎?'闻其贤者也,则悦;否,则叹曰:'君所交皆一时贤隽[8],岂其屈己下之邪?惟以道德焉,故合者尤寡,今与是人饮而欢耶?'是岁南方旱[9],仰见飞蝗而叹曰:'今西兵未解,天下重困,盗贼暴起于江淮[10],我为妇人,死而得君葬我,幸矣!'其所以能安居贫而不困者,其性识[11]明而知道理多此类。呜呼!其生也迫吾之贫,而殁也又无以厚焉,谓惟文字可以著其不朽。且其生时,尤知文章为可贵,殁而得此,庶几以慰其魂,且塞予悲。此吾所以请铭于子之勤也。"若此,予忍不铭?

夫人享年三十七,用夫恩封南阳县君,二男一女。以其年七月七日,卒于高邮[12]。梅氏世葬宛陵,以贫不能归也,某年某月某日,葬于润州之某县某原。

铭曰:

高崖断谷兮,京口[13]之原!山苍水深兮,土厚而坚!居之可乐兮,卜者曰然!骨肉归土兮,魂气升天[14]!何必故乡兮,然后为安?

【注释】

①宛陵:即今安徽宣城,汉初置,隋始改为宣城。吴兴:今浙江湖州,宋为浙西路湖州。时尧臣监湖州盐税。

②称妻妾曰"内"。

③丐:求。

④太子宾客:官名,晋惠帝为愍怀太子,择宾友五人,谓之东宫宾客。唐显庆初,始置为官,宋因之。涛:字济之,富阳人,谢绛父,举进士,累官西京留司御史台,太子宾客,卒,修为铭。

⑤闻人：知名之人。
⑥敛：小敛，为死者加衣衾。
⑦浣(huàn)：洗衣。纫：缝缀。
⑧隽：与“俊”通，或作“儁”。
⑨庆历四年(1044)三月，遣内侍两浙淮南江南祠庙祈雨。
⑩江淮：今江苏、安徽等地，为长江、淮河流域。
⑪性识：谓见识。
⑫高邮：今江苏高邮，宋属淮南东路高邮军。
⑬京口：今江苏镇江，以京岘山而得名。或谓当京江之口，故曰京口，三国时孙权置京口镇。
⑭延陵季子适齐，于其反也，其长子死，葬于嬴博之间。既封，左袒，右还其封，且号者三，曰：“骨肉归复于土，命也；若魂气，则无不之也，无不之也。”而遂行。见《礼记·檀弓》篇。

【译文】

庆历四年的秋天，我的朋友宛陵梅圣俞从吴兴来看我，拿出他悼念亡妻的诗作，并悲伤地说：“我的妻子谢氏死了！”请我写一篇墓志铭来安葬她。我答应了，但没有空闲来写。

过了一年，他写了七八封书信来，信中没有不提到给谢氏写墓志铭的。并且说：“我妻子是已故太子宾客谢涛的女儿、希深的妹妹。希深父子当时都是举世闻名的人，并且家族世代显耀。谢氏生于这个富盛的家族，二十岁时嫁给了我，总共过了十七年就去世了。死的时候，用出嫁时的衣服装殓，我家的贫穷超乎寻常，就可以知道了。可是谢氏却安适自在，毫不嫌弃。治理家庭，有她自己的办法，饮食器具虽然不多不奢华，但饭菜一定做得既精细又有味；衣服不论旧的新的，都一定清洗得干干净净，并缝补得整整齐齐；所居住的房舍虽然简陋，但一定把庭院洒扫得干净整洁；她的一言一行和日常起居，都和悦从容。我一世贫穷由来已久，外出时有幸能与贤士大夫共游而感到快乐，回家则能见到我妻子的淡静怡然从而忘掉烦忧。让我不因为财富多少、地位高低而焦虑，这是妻子对我的帮助吧。我经常与士大夫交谈，谢氏多从屏风后悄悄听我们谈话，过后，她对某人的才能、品德好坏以及时事的得失都能作出评价，都评说得有条有理。我在吴兴做官，有时从外面喝醉了回来，她一定会问：'今日和谁饮酒这么快乐呢？'听说是与贤能的人饮酒，就高兴；如果不是，就感叹道：'您所交往的都是当今品德高尚、才能杰出的人，难道能委屈自己来结交这些人吗？只以道德为标准结交朋友，所以合得来的人很少，现在竟与这种人喝酒取乐了？'这一年，南方大旱，她仰头看见飞蝗而感叹说：'如今西夏的战争威胁还没有解除，国家更加困窘，盗贼又在江淮地区突然作乱，我作为妇人，死了还得能有夫君埋葬我，已经算是幸运的了！'她之所以能安然面对贫困的生活而不感到困苦，是因为她见识高明而且懂得道理，大多像这样。唉！她一生受我贫困所累，而去世后也没有得到厚葬，只有文字可以彰显她的不朽。而且她生平尤其懂得文章是最珍贵的，死后能得到这样的墓志铭，希望能以此安慰她的灵魂，而且弥补我的悲痛。这就是我经常向您请求为她写墓志铭的原因啊。"像这种情况，我能忍心不写吗？

夫人三十七岁，凭丈夫恩泽封为南阳县君，有两个儿子一个女儿。这年的七月七日，在高邮去世。梅家历代葬在宛陵，因为贫穷不能归葬，某年某月某日，葬在了润州的某县某原。

铭文曰：高岸深谷啊，京口的原野！山青水深啊，泥土厚实坚韧！住在这里能够快乐啊，占卜的人这么说道。身体虽然埋入泥土啊，灵魂升上天来。何必一定要在故乡啊，才能安宁？

记

王彦章画像记

【题解】

本文以史书、家传、画像三件事为素材，重点描述五代名将铁枪王彦章的英勇善战和忠义之节，洋溢着欧阳修的无限敬佩之情。联系当时北宋在与西夏的战争中接连大败，有着深刻的现实意义。

【原文】

太师王公，讳彦章，字子明，郓州寿张人也[①]。事梁，为宣义军节度使[②]，以身死国[③]，葬于郑州之管城[④]。晋天福二年[⑤]，始赠太师。

公在梁以智勇闻。梁、晋之争数百战[⑥]，其为勇将多矣，而晋人独畏彦章[⑦]。自乾化后[⑧]，常与晋战，屡困庄宗于河上[⑨]。及梁末年，小人赵岩[⑩]等用事，梁之大臣老将，多以谗不见信，皆怒而有怠心。而梁亦尽失河北，事势已去，诸将多怀顾望。独公奋然自必[⑪]，不少屈懈，志虽不就，卒死以忠。公既死而梁亦亡矣，悲夫！

五代终始才五十年[⑫]，而更十有三君[⑬]，五易国而八姓[⑭]。士之不幸而出乎其时，能不污其身得全其节者，鲜矣。公本武人，不知书，其语质，平生尝谓人曰："豹死留皮，人死留名。"盖其义勇忠信出于天性而然。予于《五代

书》，窃有善善恶恶之志[15]，至于公传，未尝不感愤叹息，惜乎旧史残略[16]，不能备公之事。康定元年，予以节度判官来此[17]，求于滑人[18]，得公之孙睿所录家传[19]，颇多于旧史，其记德胜之战尤详[20]。又言敬翔怒末帝不肯用公[21]，欲自经于帝前[22]。公因用笏[23]画山川，为御史弹而见废[24]。又言公五子，其二同公死节。此皆旧史无之。又云公在滑，以谗自归于京师，而史云召之。是时，梁兵尽属段凝[25]，京师羸[26]卒不满数千，公得保銮[27]五百人之郓州，以力寡，败于中都[28]；而史云将五千以往者，亦皆非也。

公之攻德胜也，初受命于帝前，期以三日破敌，梁之将相闻者皆窃笑。及破南城，果三日。是时庄宗在魏[29]，闻公复用，料公必速攻，自魏驰马来救，已不及矣[30]。庄宗之善料，公之善出奇，何其神哉！今国家罢兵四十年，一旦元昊反，败军杀将，连四五年，而攻守之计，至今未决。予尝独持用奇取胜之议，而叹边将屡失其机。时人闻予说者，或笑以为狂，或忽若不闻，虽予亦惑，不能自信。及读公家传，至于德胜之捷，乃知古之名将，必出于奇，然后能胜。然非审于为计者不能出奇，奇在速，速在果[31]，此天下伟男子之所为，非拘牵常算[32]之士可到也。每读其传，未尝不想见其人。

后二年，予复来通判州事[33]。岁之正月，过俗所谓铁枪寺者，又得公画像而拜焉。岁久磨灭，隐隐可见，亟命工完理之，而不敢有加焉，惧失其真也。公尤善用枪，当时号王铁枪[34]，公死已百年，至今俗犹以名其寺，童儿牧竖[35]，皆知王铁枪之为良将也。一枪之勇，同时岂无？而

公独不朽者，岂其忠义之节使然欤？画已百余年矣，完之复可百年，然公之不泯者，不系乎画之存不存也。而予尤区区[36]如此者，盖其希慕之至焉耳。读其书，尚想乎其人[37]；况得拜其像，识其面目，不忍见其坏也。画既完，因书予所得者于后，而归其人，使藏之。

【注释】

①寿张：今山东东平，唐属河南道郓州，梁为天平军节度，宋属京东西路东平府。梁：即五代之后梁。朱全忠受唐禅，国号梁，都汴，凡二主十六年，为后唐所灭。

②宣义军：今河南滑县，唐为河南道滑州、义成军节度，梁改宣义军，宋属京西北路。

③梁龙德三年(923)，唐庄宗攻兖州，彦章以保銮骑五百御之，退走中都。唐将夏鲁奇识其音，曰："此王铁枪也。"举矟刺之，伤重被擒，庄宗爱其勇，欲活之，彦章不屈，遂见杀。

④郑州：今河南郑州，唐属河南道，宋属京西北路。管城，今河南郑州管城区，唐宋均属郑州。

⑤晋：即五代之后晋。石敬瑭借契丹兵灭后唐，国号晋，都汴，凡二主十一年，为契丹所灭。天福：后晋高祖年号。

⑥晋：谓后唐庄宗，初封晋王，故称晋；龙德三年，始称帝，国号唐。

⑦彦章初屯澶州，晋攻破之，虏其妻子，以畏彦章故，待之加厚。

⑧乾化：后梁太祖及末帝年号，末帝即位未改元，至五年始改年号为贞明元年(915)。

⑨庄宗：姓李，名存勖，小字亚子，为晋王克用长子，嗣立十年，即帝位，灭后梁，晚年荒恣，伶人郭从谦作乱，中流矢死。河上：即曹、

濮、郓、滑诸州之地，当黄河南北，今河北、河南、山东交界之处。彦章常心轻晋王，曰："亚子斗鸡小儿耳，何足惧哉！"

⑩赵岩：青州人，为后梁租庸使，与张汉杰兄弟等依势弄权，卖官鬻狱，离间旧将相。敬翔、李振等，言多不用，政事日紊。

⑪必：专也。《太玄经》："赤石不夺，节士之必。"

⑫五代始于后梁太祖开平元年(907)，终于后周恭帝显德六年(960)，凡五十三年。

⑬十有三君：为后梁太祖晃，末帝瑱；后唐庄宗存勖，明宗嗣源，愍帝从厚，废帝从珂；后晋高祖敬瑭，出帝重贵；后汉高祖暠，隐帝承祐；后周太祖威，世宗荣，恭帝宗训。

⑭五易国：即梁、唐、晋、汉、周。八姓：梁，朱姓；唐，李姓；晋，石姓；汉，刘姓；周，郭姓；唐明宗本胡人，为克用之养子，虽无氏，实非李姓；废帝为明宗养子，本姓王氏；周世宗为太祖养子，本姓柴氏。

⑮修自撰《五代史》七十五卷，词约事备，褒贬善恶，多取《春秋》之旨，发论必以呜呼，曰："此乱世之书也。"

⑯旧史：《旧五代史》，宋薛居正等奉敕撰，共一百五十卷，多据累朝实录及范质《五代通录》为蓝本。

⑰宝元二年(1039)，修权武成军节度判官厅公事，康定元年(1040)春，赴滑州。

⑱滑：今河南滑县，宋属京西北路。

⑲家传：为私人记载，叙述其先人事迹，以传示后世者。

⑳德胜：渡名，为河津之要，时晋已尽有河北，以铁锁断德胜口，筑河南北为两城，号夹寨，皆在今河南濮阳。其北城即今县治，南城后圮于水。彦章既受命，期以三日破敌，驰两日至滑川，引精兵数千趋德胜，举锁烧断之，因以巨斧斩浮桥，急击南城破之，适三日。

㉑敬翔：初为宣武军掌书记，为人深沉有智略，在幕府二十余年，昼夜勤劳，自言于马上乃得休息，禅代之际，其谋居多；太祖即位，知崇政院事，末帝时为相。梁亡，李振劝与同降，不从，自缢而死。末帝：初名友贞，太祖第三子，封均王，友珪弑逆，讨诛之，即位更名瑱，在位十一年。唐兵入汴，命其下皇甫麟刭其首死。

㉒经：缢也，翔知梁室已危，纳绳靴中入见，遂欲自经，末帝止之，问所欲言，翔曰："事急矣，非用彦章为大将不可。"乃以代戴思远为招讨使。

㉓笏：以象牙及木为之，朝见时执于手，有事则书其上，以备遗忘，一名手版。

㉔德胜之役，彦章为招讨使，段凝副之。凝阴与赵岩相结，及破南城，各为捷书以闻，凝遣人告岩等，匿彦章书而上己书，岩等又毁彦章于内，遂罢彦章，以凝代。彦章驰至京师，入见，以笏画地，自陈胜败之迹，岩讽有司劾彦章不恭，勒归第。

㉕段凝：初名明远，后更今名，开封人，梁亡降于唐，赐姓名李绍钦。

㉖羸：弱也。

㉗保銮：天子卫骑也，天子之车曰銮舆。

㉘中都：今山东汶上，唐属河南道郓州。

㉙魏：今河北大名，唐属河东道，梁为天雄军节度。

㉚德胜之役，彦章乘胜攻杨刘、李周等，告急于庄宗，兵至不得入，用郭崇韬计，筑垒于马家口，相持六月，彦章始退。

㉛果：果决。

㉜拘牵常算：谓拘束于平常之策。

㉝庆历二年(1042)，修通判滑州。

㉞彦章骁勇绝伦，每战用两铁枪，皆重百斤，一置鞍中，一持在手，所

向无敌，时人谓之“王铁枪”。

㉟牧竖：牧童。童仆未冠者曰竖。

㊱区区：犹言小也，言注意于小者如此也。

㊲《孟子·万章下》：“颂其诗，读其书，不知其人，可乎？是以论其世也，是尚友也。”语意本此。

【译文】

太师王公，讳彦章，字子明，郓州寿张人。在后梁任宣义军节度使，以身殉国，葬在郑州管城。晋天福二年(937)，才赠太师。

公在后梁以智勇双全闻名。梁、晋之间大小战数百次，其中涌现出的勇将不计其数，但是晋人唯独畏惧王彦章。自乾化年间起，经常与晋军征战，屡次围困庄宗于河上。到了梁朝末年，小人赵岩等专权，梁的大臣老将，多因谗言不被皇帝信任，都心怀愤懑而对国事懈怠。而梁朝也因此完全失去了河北之地，大势已去，军中将领对时局都抱观望态度。只有彦章发奋坚持不渝，没有丝毫退缩懈怠，报国之志虽未成功，但终于以死尽忠。彦章已去，梁也随即灭亡了，可悲啊！

五代从开始到结束才五十四年，却更换了十三位国君，五次改朝换代，八姓先后掌握政权。士人不幸出生在这个时代，能保持自身不被污染而保全名节的，实在太少了。彦章本来是个武夫，看不懂书，言语质朴，平生经常对人说：“豹死留皮，人死留名。”因此他的义烈勇敢、忠诚守信都是出自他的天性。我写《五代书》，私下怀着扬善贬恶的意图，写到彦章的传记，深为感愤叹息，可惜旧五代史残缺简略，不能详细记载他的事迹。康定元年，我因担任节度判官来到滑州，向滑州人寻求有关彦章的材料，终于找到彦章的孙子王睿所记录的家传，内容比旧史丰富，其中记德胜之战尤其详细。又提到梁朝宰相敬翔因恼怒梁末帝不肯起用彦章，想在末帝面前自杀。彦章因为用朝笏在地上指画山川形势，被御史弹劾而被罢免。又说彦章五个儿子，有两个与其一道殉节。这些都是旧史没有的。又说彦章在滑州，因遭受谗言而自归京师以证清白，而旧史称是皇帝下旨召回的。那时梁朝兵权尽为段凝所掌，京师老弱病残之兵只数千人，彦章只带领保銮之兵五百人到郓州，因力量相差悬殊，败于中都；而旧史称帅五千人前往，这都是错的。

彦章进攻德胜城，在接受皇帝军令时，保证在三天之内破敌，后梁的将相们听到这样的话都在暗暗发笑。等到攻破德胜城南门的时候，果然只有三天。那时庄宗在魏州，听到彦章再次被起用，预料他必定会急速攻城，故自魏州快马加鞭来救援，却已经来不及了。庄宗之善于预料，彦章之善于出奇制胜，何其出神入化啊！现在国家有四十年没有打仗了，一旦赵元昊反叛，便打败我们的军队，杀死我们的将领，接连四五年如此，可攻守之策，到现在还犹豫未决。我曾独自坚持出奇制胜的建议，但遗憾边防将领屡次失掉机会。时人在听到我的说法时，有的笑我狂妄，有的根本不予理睬，就是我自己也感到迷惘，不敢确定自己的意见是否正确。等到读了王彦章家传，看到德胜大捷，才知道古之名将，必定是出奇才能制胜。不过，不能周密计划的人便难于出奇，出奇的关键在于迅速，迅速的关键在于果断，这才是天下伟男子的举动，不是那些被常规所束缚的人能办到的。我每次读他的家传，未尝不想亲见其人。

两年后，我又来到滑州做通判。今年正月，经过百姓所说的铁枪寺前，又找到了王彦章的画像并前去拜谒。岁月久远，画像磨灭，只是隐约可见，连忙命令工匠修理，而又不敢有所更改，害怕失去真迹。王彦章善使铁枪，当时的人称他“王铁枪”，他虽然离世已有百年，现在人们还在用铁枪作为庙名，连牧童小孩都知道王铁枪是一位良将。一枪之勇，当时岂无堪与匹敌的？但是独有彦章不朽，难道不是因为他的忠义使然吗？画像历经百年，修好它还能流传百年，而彦章之不被泯灭不在于画像的存与不存。而我之所以留心这小小的画像，只是由于钦佩到了极点。读他的传书，尚且想象他的模样，何况得以拜谒他的画像，看到了他的模样呢？所以不忍心看到画像损坏。画像修好之后，便在背后写下了我的感受，然后物归原主，让他好好保存。

丰乐亭记[1]

【题解】

这篇文章除记述建丰乐亭的经过及与滁人共游之乐外，以“丰乐”二字为眼，描绘了滁州从战乱到和平的变迁，抒发了欧阳修与民同乐的思想，告诫人们珍视和平安定的生活。写景、叙事及抒情紧密结合，议论寓于其中，情文并茂。

【原文】

修既治滁之明年[2]，夏，始饮滁水而甘。问诸滁人，得于州南百步之近。其上丰山，耸然而特立[3]；下则幽谷，窈然而深藏[4]；中有清泉，滃然[5]而仰出。俯仰左右，顾而乐之。于是疏泉凿石，辟地以为亭，而与滁人往游其间。

滁于五代干戈之际，用武之地也。昔太祖皇帝[6]，尝以周师破李景兵十五万于清流山下[7]，生擒其将皇甫晖、姚凤于滁东门之外，遂以平滁[8]。修尝考其山川，按其图记，升高以望清流之关，欲求晖、凤就擒之所，而故老皆无在者，盖天下之平久矣。自唐失其政，海内分裂，豪杰并起而争，所在为敌国者，何可胜数[9]！及宋受天命，圣人出而四海一，向之凭恃险阻，划削消磨[10]，百年之间，漠然[11]徒见山高而水清。欲问其事，而遗老尽矣。今滁介于江、淮之间，舟车商贾[12]、四方宾客之所不至，民生不见

外事，而安于畎亩衣食，以乐生送死。而孰知上之功德，休养生息，涵煦[13]百年之深也。

修之来此，乐其地僻而事简，又爱其俗之安闲。既得斯泉于山谷之间，乃日与滁人仰而望山，俯而听泉，掇幽芳而荫乔木[14]，风霜冰雪，刻露清秀，四时之景，无不可爱。又幸其民，乐其岁物之丰成，而喜与予游也。因为本其山川，道其风俗之美，使民知所以安此丰年之乐者，幸生无事之时也。夫宣上恩德，以与民共乐，刺史之事也[15]，遂书以名其亭焉。庆历丙戌六月日，右正言、知制诰、知滁州军州事欧阳修记[16]。

【注释】

①丰乐亭：在滁州西南琅琊山幽谷泉上。

②滁：今安徽滁州，宋属淮南东路。庆历五年(1045)，修以孤甥张氏狱，为狱吏傅致，左迁知制诰，出守滁州。

③丰山：在滁州西南。耸然：高貌。

④幽谷：泉名，一名紫微泉。窈然：深远貌。

⑤滃然：云气起也，又大水貌，盖泉水上出，滃渤若云气之升也。

⑥太祖皇帝：姓赵，名匡胤，涿郡人，仕周为殿前都检点，归德军节度使。将军拒契丹，至陈桥驿，为将士拥立，遂受周禅即帝位。

⑦周：即五代之后周。郭威灭后汉，国号周，都汴，凡三主九年，禅位于宋。李景，南唐主，徐知诰——知诰本姓李，为吴将徐温养子，受吴禅，复姓，更名昪——长子，初名璟，后以避周讳更名，传子煜，改号江南，为宋所灭。清流山，在滁州西北，上有清流关。

⑧后周世宗显德二年(955)，伐唐，唐主命皇甫晖、姚凤将兵三万屯定

远，次年退保清流关。匡胤时为殿前都虞侯，领严州刺史，世宗命倍道袭之。晖等走守滁州，匡胤直抵城下，晖请成列而战，匡胤笑许之。晖整众出，匡胤突阵击晖，擒之，并擒姚凤，遂克滁州。

⑨唐末，天下大乱，卒伍盗贼，起为节镇，因而立国，计：杨行密据淮南，国号吴；李昪据江南，国号南唐；王审知据福建，国号闽；王建据两川，国号前蜀；孟知祥据两川，国号后蜀；刘隐据广州，国号南汉；刘崇据山西，国号北汉；钱镠据两浙，国号吴越；马殷据湖南，国号楚；高季兴据荆南，国号南平。是为十国。

⑩刬(chǎn)：削平。

⑪漠然：安静貌。

⑫行货曰“商”，处货曰“贾”。

⑬涵煦：犹言覆育。

⑭掇：采取。乔木：木之高而上曲者。

⑮刺史：官名，汉武帝置部刺史，督察郡国，刺言刺举不法，史者使也，魏晋于要州以都督兼领刺史，隋罢郡，以州统县，自是刺史但为太守之亘名。

⑯右正言：官名，宋改唐之拾遗为正言，左属门下省，右属中书省。知制诰：官名，属翰林学士院，掌制诰诏令撰述之事。

【译文】

我欧阳修赴任滁州的第二年夏天，才喝到滁州的泉水，觉得甘甜。问当地人，得知水的发源地就在距离滁州城南面一百步的地方。它的上面是丰山，高高耸立着；下面是深谷，幽暗地潜藏着；中间有一股清泉，水势盛大，喷涌而出。我上下左右地看，感到十分高兴。于是，疏通泉水，凿开岩石，整治出一片空地，筑了一座亭子，供我和滁州人一同在此地往来游乐。

滁州在五代纷争时期，是个经常发生战争的地方。过去，太祖皇帝曾经率领后周军队在清流山下击溃李景的十五万大军，并在滁州东门外活捉南唐大将皇甫晖、姚凤，于是平定了滁州。我曾经考察过滁州的山川，查核过滁州的图籍，登上高山眺望清流关，想要寻找皇甫晖、姚凤就擒的地方。可是，当年经历过此事的老人，如今都已经不在人世，天下太平很久了。自从唐朝政局败坏，海内四分五裂，英雄豪杰们全都起来争夺天下，到处都是敌对的势力政权，哪能数得清！到了大宋领受天命，出现了圣人太祖皇帝，四海就归于一统了，以前那些凭借险阻的割据势力都被铲除消灭。百余年间，静静地只看到山高水清。要想问问当年的纷争情形，可是留下来的老年人已经不在人世了。如今，滁州处在长江、淮河之间，乘船坐车的商人和四面八方的宾客都不到这里来。百姓在生活中不知道外面的事情，安心耕田求得衣食温饱，欢乐地过日子，一直到死。有谁知道这是大宋皇帝的功德，使得百姓休养生息，滋润化育达到百年之久呢！

我欧阳修来到这里，喜欢这地方僻静而政事简单，又爱它的风俗安恬闲适。我在山谷间找到这样的甘泉之后，就每天同滁州的士人来此仰望高山，低首听泉，采摘幽香的花草，在茂密的乔木下乘凉。刮风落霜，结冰飞雪，顷刻即逝的清秀露珠，四时的风光，无一不令人喜爱。更庆幸遇到百姓因年年丰收而高兴，乐意与我同游。于是根据这里的山川形胜，叙述这里美好的风俗，使百姓知道之所以能够安享丰年的欢乐，是因为有幸生于这太平无事的时代。而宣扬皇上的恩德，与民同乐，这正是刺史职责范围内的事。于是就写下这篇文章来为这座亭子命名。庆历六年(1046)六月某日，右正言、知制诰、知滁州军州事欧阳修记。

醉翁亭记[1]

【题解】

本文描写了滁州一带朝暮四季自然景物不同的幽深秀美，滁州百姓和平宁静的生活，特别是在山林中与百姓一齐游赏宴饮的乐趣，表达了欧阳修与民同乐的爱民思想。另一方面亦是借山水之乐来排遣谪居生活的苦闷。

【原文】

环滁皆山也。其西南诸峰，林壑尤美，望之蔚然[2]而深秀者，琅琊也[3]。山行六七里，渐闻水声潺潺[4]而泻出于两峰之间者，酿泉也[5]。峰回路转，有亭翼然[6]临于泉上者，醉翁亭也。作亭者谁？山之僧智仙也。名之者谁？太守自谓也[7]。太守与客来饮于此，饮少辄醉，而年又最高，故自号曰醉翁也。醉翁之意不在酒，在乎山水之间也。山水之乐，得之心而寓[8]之酒也。

若夫日出而林霏[9]开，云归而岩穴暝[10]，晦明变化者，山间之朝暮也。野芳发而幽香，佳木秀而繁阴，风霜高洁，水落而石出者，山间之四时也。朝而往，暮而归，四时之景不同，而乐亦无穷也。

至于负者歌于途，行者休于树，前者呼，后者应，伛偻提携[11]，往来而不绝者，滁人游也。临溪而渔，溪深而鱼肥；酿泉为酒，泉香而酒洌[12]。山肴野蔌[13]，杂然而前陈

者，太守宴也。宴酣之乐，非丝非竹[14]，射者中[15]，弈[16]者胜，觥筹交错[17]，起坐而喧哗者，众宾欢也。苍颜白发，颓然乎其间者，太守醉也。

已而夕阳在山，人影散乱，太守归而宾客从也。树林阴翳[18]，鸣声上下，游人去而禽鸟乐也。然而禽鸟知山林之乐，而不知人之乐；人知从太守游而乐，而不知太守之乐其乐也。醉能同其乐，醒能述以文者，太守也。太守谓谁？庐陵欧阳修也。

【注释】

①醉翁亭：在滁州西南七里。

②蔚然：草木盛貌。

③琅琊：山名，在滁州西南十里，晋元帝为琅琊王时，避地此山，故名。

④潺潺：水流声。

⑤泉水清可以酝酒，故曰“酿泉”。

⑥翼然：言如鸟舒展翅膀的样子。

⑦太守：官名，秩二千石，秦本名郡守，汉景帝始称太守，宋以后改郡为府，故知府亦称太守。

⑧寓：寄也。

⑨霏：云很盛的样子。

⑩暝：幽晦。

⑪伛偻(yǔ lǚ)：脊梁弯曲之状。提携：谓挈之而行也。

⑫洌：清澄。

⑬肴：鱼肉之类，熟而食之曰肴。蔌：蔬菜。

⑭丝：八音之一，琴瑟之属，其弦皆以丝为之。竹：八音之一，箫管之

属，以竹为之。

⑮按，修《居士外集》有《九射格》一文，其制为一大侯，中为熊、虎、鹿、雕、雉、猿、雁、兔、鱼九物，物各有筹，射中其物，则视筹所在而饮之，当即此戏。

⑯弈：围棋。

⑰觥：酒器，古以兕角为之，故曰兕觥。后或用木及铜，容酒七升。筹：算筹，所以记胜负之具，亦曰筹码。

⑱翳：隐蔽。

【译文】

滁州四面都被群山环抱。它西南方的几座山峰，树林和山谷分外秀美。一眼望去，那树木郁郁葱葱、幽深秀丽的，便是琅琊山。上山走六七里路，渐渐听到潺潺的流水声从两座山峰之间倾泻而出的，是酿泉。峰回路转，有一座亭子像鸟儿展翅似的矗立在泉水边，那就是醉翁亭。建造亭子的是谁？是山里的和尚智仙。给亭子命名的是谁？是自称“醉翁”的太守，用自己的名字来命名的。太守和客人到这里饮酒，喝一点点就醉了，他年纪又最大，所以自称醉翁。醉翁到这里来的目的不是为了喝酒，而在于欣赏这里的山水美景。欣赏山水风光的乐趣，心里领会了，又寄托在酒中。

太阳出来，山林里的雾气散开，云霭聚积，山洞就变得幽暗，这明暗的变化，就是山林中的清晨和傍晚。野花开放，幽香四溢；佳木秀美，浓荫掩映；天高气爽，霜色洁白；水势低落，山石显露，这是山中的四季。早去晚归，四季的景色不同，游人的乐趣也是无穷无尽的。

背着东西的人在山路上唱歌，过路人在树下休息，人们前呼后应，弯腰曲背的老人和要人搀扶的孩子，来来往往没有间断，那是来这里游玩的滁州人。在溪边钓鱼，溪深鱼肥；用泉水酿酒，泉水清香，美酒甘洌；各种野味和蔬菜，杂乱地摆放在面前，这是太守在举行宴会。宴饮的乐趣，不是丝竹音乐，而是投壶的中了，下棋的赢了，觥筹交错，有的站起，有的坐下，大呼小叫，那是客人们在欢闹。面容苍老，头发斑白，昏昏沉沉地坐在人们中间的，那是太守喝醉了。

不久，太阳落山了，人影散乱，太守回城，客人们紧紧跟随。树林幽暗，鸟鸣声忽上忽下，那是游客离去，鸟儿高兴了。然而鸟儿只知道山林的乐趣，不知道游人的乐趣；人们只知道跟着太守游玩的乐趣，但不知道太守的乐趣。喝醉了，能和大家一起欢乐；酒醒了，能用文字记述这种乐趣的，是太守。这个太守是谁呢？是庐陵人欧阳修。

真州东园记[1]

【题解】

欧阳修并没有亲自游览此园，而是借图画和许子春的介绍，凭借想象，通过铺陈排比和今昔兴废的对比，描绘了一座繁华富丽的园林，同时表达了他宽政爱民的思想。

【原文】

真为州，当东南之水会[2]，故为江淮、两浙、荆湖发运使之治所[3]。龙图阁直学士施君正臣、侍御史许君子春之为使也[4]，得监察御史里行马君仲涂为其判官[5]。三人者乐其相得之欢，而因其暇日得州之监军废营[6]，以作东园，而日往游焉。

岁秋八月，子春以其职事走京师，图其所谓东园者来以示予，曰："园之广百亩，而流水横其前，清池浸其右，高台起其北。台，吾望以拂云之亭；池，吾俯以澄虚之阁；水，吾泛以画舫之舟[7]。敞[8]其中以为清宴之堂，辟其后以为射宾之圃[9]。芙蕖芰荷之的历[10]，幽兰白芷[11]之芬芳，与夫佳花美木列植而交阴，此前日之苍烟白露而荆棘也。高甍巨桷[12]，水光日景动摇而下上，其宽闲深靓[13]，可以答远响而生清风，此前日之颓垣断堑[14]而荒墟也。嘉时令节，州人士女啸[15]歌而管弦，此前日之晦冥风雨、鼪鼯鸟兽之嗥音也[16]。吾于是信有力焉。凡图之所载，盖其一

二之略也。若乃升于高以望江山之远近，嬉于水而逐鱼鸟之浮沉，其物象意趣，登临之乐，览者各自得焉。凡工之所不能画者，吾亦不能言也，其为我书其大概焉！”

又曰：“真，天下之冲也。四方之宾客往来者，吾与之共乐于此，岂独私吾三人者哉？然而池台日益以新，草树日益以茂，四方之士无日而不来，而吾三人者有时而皆去也，岂不眷眷于是哉[17]？不为之记，则后孰知其自吾三人始也？”

予以为三君之材贤足以相济，而又协于其职，知所后先，使上下给足，而东南六路之人，无辛苦愁怨之声。然后休其余闲，又与四方之贤士大夫共乐于此，是皆可嘉也，乃为之书。庐陵欧阳修记。

【注释】

①真州：今江苏仪征，宋属淮南东路。

②真州在长江下游北岸，东濒运河，故曰东南水会。

③江淮：见《南阳县君谢氏墓志铭》注。两浙：浙东浙西，钱塘江以南曰浙东，北曰浙西，今浙江境。荆湖：今湖北、湖南境，当洞庭湖南北，又为古荆州地，故名。发运使：官名，宋太宗置江淮水陆发运于京师，漕运米粟，后遂称发运使，兼领荆湖、两浙诸路，或兼制茶盐泉宝之政，及专刺举官吏之事。凡地方长官所在地曰治所。

④施正臣：名昌言，通州静海人，累官江淮发运使，龙图阁直学士，知滑州卒。侍御史：官名，宋仍唐制，台院设侍御史一人，以贰中丞，掌纠察弹劾之事，其职不常除，必由监察御史转授。许子春：名元，宣州宣城人，累官江淮发运副使，擢天章阁待制，再迁郎中，历知

扬、越、秦州。

⑤监察御史里行：官名，监察御史，掌分察六曹百司之事，纠其谬误，其官卑而入御史者，谓之里行，犹后世所谓行走。马仲涂，名遵。

⑥监军：官名，齐景公使穰苴为将，以庄贾监军，汉武帝置监军使者，其后废置不常，隋末或以御史监军事，唐开元后，多以中官为之，宋不设。

⑦游宴所乘之舟，装饰华丽，故曰“画舫”。

⑧敞：敞开。

⑨习射之所曰“圃”。

⑩芙蕖：荷花之别名。芰：菱之四角者。的历：鲜明貌。梁周兴嗣《千字文》：“渠荷的历。”

⑪芷：香草名，一名白茝。

⑫甍：屋栋之承瓦者。桷：方椽，一曰屋角斜枋。

⑬靓（jìng）：静也。

⑭堑：护城河。

⑮啸：蹙口作声。

⑯鼪：与“狌”同，鼬鼠，俗称黄鼠狼。鼯：能飞之鼠。荀子：“鼯鼠五技而穷。”谓能飞不能过屋，能缘不能穷木，能游不能渡谷，能穴不能掩身，能走不能先人。嗥：野兽叫声。

⑰眷眷：与“睠睠”通，心向往也。

【译文】

真州正处于东南各路水路交会之处，所以成了江淮、两浙、荆湖发运使衙门的治所。龙图阁直学士施正臣、侍御史许子春二君担任正副发运使的时候，监察御史里行马仲涂做他们的判官。三人都为能相互配合而感到很高兴，于是趁着闲暇找到州里监军荒废的营地，营造了一座东园，天天去那儿游览。

今年秋天八月，子春因公事来到京城，画了他们称作东园的图给我看，说："东园的面积约有一百亩，前面有一条小河流过，右边有一泓清池，北面修筑了一座高台。在台上修一座拂云亭，我们可以眺望远方；在池边建一座澄虚阁，我们可以俯瞰池水；在水上，我们划着华丽的游船。扩建东园，修建了一座清雅的宴会厅堂；开辟了后园，作为宾客戏射的场所。水面上荷花艳丽鲜美，岸边幽兰、白芷发出芳香，还有那些佳花美树成行排列，阴影交叠，这是过去苍烟白露和荆棘遍布的地方。高高的屋脊，巨大的飞檐，在日影水光中上下摇动，宽敞而幽静，可以产生回声与阵阵清风，这便是过去颓垣断壁的废墟。每逢良辰佳节，真州的才子佳人聚集一起吹弹歌唱，这便是过去天色昏暗如黑夜、风风雨雨，鼬鼠蝙蝠以及飞禽走兽吼叫的场所。我因此相信有力量可以改变环境。这幅图画中所画的，不过是东园十之一二的概貌。假如登上高处，眺望远近的山河，在水中嬉戏，跟踪游动的鱼儿，那景象情趣与登临的欢乐，只有游览的人自己能体味。凡是画工所不能画出的一切，我也无法用言语表达出来，请您为我们写一篇介绍大体面貌的文章吧！"

他又说："真州，天下的交通要道。来往的四方宾客，我们可以同他们在此同享欢乐，难道修筑东园仅仅是为了我们三个人吗？然而池台亭阁一天天地增加更新，花草树木一天天生长茂盛，四方人士没有哪天不前来游览的，而我们三人总有离开的时候，难道会不留恋这个园子吗？不为此事写篇文章，后人谁会知道这园子是我们三人修建的呢？"

我认为他们三人的才能道德相得益彰，而且又在公事上协同配合，知道应该先做什么后做什么，使官府百姓都富裕充足，而东南六路的人都没有辛苦、忧愁的埋怨之声。然后在空暇休息时，又与来自四方的贤明士大夫在东园同游共乐，这都是值得褒奖的，于是为他们写下了这篇文章。庐陵人欧阳修作记。

有美堂记

【题解】

本文赞扬杭州于繁华之地兼得山水之美，而有美堂兼有都市之景与山水之乐，并从金陵与杭州的比较中突出杭州，抒发了盛衰兴亡之感。

【原文】

嘉祐二年，龙图阁直学士、尚书吏部郎中梅公[①]，出守于杭。于其行也，天子宠之以诗。于是始作有美之堂，盖取赐诗之首章而名之[②]，以为杭人之荣。然公之甚爱斯堂也，虽去而不忘。今年自金陵遣人走京师[③]，命予志之，其请至六七而不倦，予乃为之言曰：

夫举天下之至美与其乐，有不得而兼焉者多矣。故穷山水登临之美者，必之乎宽闲之野、寂寞之乡，而后得焉；览人物之盛丽，夸都邑之雄富者，必据四达之冲、舟车之会，而后足焉。盖彼放心于物外[④]，而此娱意于繁华，二者各有适焉。然其为乐不得而兼也。

今夫所谓罗浮、天台、衡岳、庐阜、洞庭之广[⑤]、三峡之险[⑥]，号为东南奇伟秀绝者，乃皆在乎下州小邑，僻陋之邦；此幽潜之士，穷愁放逐之臣之所乐也。若乃四方之所聚，百货之所交，物盛人众，为一都会[⑦]，而又能兼有山水之美，以资富贵之娱者，惟金陵、钱塘[⑧]；然二邦皆僭窃

于乱世[9]。及圣宋受命,海内为一,金陵以后服见诛[10],今其江山虽在,而颓垣废址,荒烟野草,过而览者,莫不为之踌躇而凄怆[11]。独钱塘自五代时,知尊中国,效臣顺,及其亡也,顿首请命,不烦干戈[12],今其民幸富完安乐。又其习俗工巧,邑屋华丽,盖十余万家,环以湖山,左右映带[13]。而闽[14]商海贾,风帆浪舶,出入于江涛浩渺烟云杳霭[15]之间,可谓盛矣。

而临是邦者,必皆朝廷公卿大臣,若天子之侍从[16],又有四方游士为之宾客。故喜占形胜,治亭榭[17],相与极游览之娱。然其于所取有得于此者,必有遗于彼。独所谓有美堂者,山水登临之美,人物邑居之繁,一寓目而尽得之。盖钱塘兼有天下之美,而斯堂者,又尽得钱塘之美焉,宜乎公之甚爱而难忘也。梅公,清慎好学君子也[18],视其所好,可以知其人焉。四年八月丁亥[19],庐陵欧阳修记。

【注释】

①梅公:名挚,字公仪,成都新繁人。累迁右谏议大夫,徙江宁府,又徙河中卒。

②宋仁宗赐挚守杭诗云:"地有吴山美,东南第一州。"挚因作堂于杭之吴山上,以有美为名。按宋仁宗诗止一首,首章谓首句。

③金陵:即今江苏南京,宋为淮南西路江宁府,后改建康府。

④物外:世外。

⑤罗浮:山名,在广东增城博罗之北,峰峦奇秀,为粤中名山。天台:山名,在浙江天台北,形势壮秀,西南接括苍、雁荡,西北接四明、金

华，北有石桥，长数十丈，度两岭间，风景绝胜。衡岳：南岳衡山，为五岳之一，在湖南衡山西北，有七十二峰，祝融紫盖诸峰尤胜。庐阜：庐山，在江西九江南，一名匡山，统称匡庐，岩壑秀润，最高处曰五老峰，山有瀑布。洞庭：湖名，在湖南北境，长二百里，广百数十里，湘、资、沅、澧诸水皆汇之以入于湖。湖中有君山诸胜。

⑥三峡：瞿塘峡、巫峡、西陵峡。在川楚间大江中，其间长七百里，两岸连山不绝，滩多水急，舟行绝险。

⑦都会：大都邑之称，谓人物聚会之所。

⑧钱塘：今浙江杭州，宋属杭州。

⑨五代时，李昪建国金陵，号南唐；钱镠建国钱塘，号吴越。

⑩开宝七年(974)，谕江南主李煜入朝，煜不从，乃遣曹彬、潘美等伐之。八年春，围金陵，十一月克之，俘煜还朝，赐爵违命侯，进陇西郡公，卒。或曰，宋以牵机药鸩之。

⑪踌躇：犹豫不前貌。

⑫钱镠遗命子孙善事中国，勿以易姓废事大之礼，子元瓘遂去国仪，用藩镇法，受唐策命，传子佐、倧及俶，入贡于周，太平兴国三年(978)，纳土，封淮海国王。

⑬映带：照映连带。王羲之《兰亭序》："又有清流激湍，映带左右。"

⑭闽：东南越种，《周礼》七闽是也，今福建境。

⑮杳霭：云气盛貌。

⑯若：有"或"与"及"之意。侍从：给事天子左右之臣也。

⑰台之有屋者曰"榭"。

⑱挚性淳静，喜为诗，有奏议四十余篇。

⑲四年：嘉祐四年。

【译文】

嘉祐二年(1057),龙图阁直学士、吏部郎中梅公出任杭州太守。临行,皇上写了一首诗赠给他以示宠信。于是梅公始建有美堂,并取御赐之诗首句中的“有美”二字来给这座堂命名,把它视为杭州百姓的荣耀。梅公非常喜欢有美堂,虽然已经调离杭州,但是还是念念不能忘怀。今年梅公从金陵派人来到京城,请我给有美堂写一篇志。前后六七次请托都被我推辞了,但还是不知疲倦,于是我就写了下面这段文字:

大凡天下山水的秀美与人们能从中得到的快乐,不能两全齐美的太多了。因此要想穷尽登高俯瞰山水的秀美,往往要去空旷荒远的原野,寂寞无闻的村庄,然后才能看到;要想看到人物的秀丽和物产的丰富,夸耀城市的宏伟富丽,必须处在四通八达的水陆交通枢纽,然后才能满足。前者是怡情悦性于大自然,而后者是娱心于繁华之所,两者各有可以安适的地方。虽然都能从中享受到快乐,但不能二者兼得。

今天所谓的的罗浮山、天台山、衡山、庐山,以及浩渺的洞庭湖,奇险的三峡,都是号称东南最奇伟秀绝的风景,却全在那下州小邑和偏僻穷荒之域。这是隐逸之士和被贬谪的失意官吏的安身享乐之地。至于那四方物产聚合之地,百货汇集之所,物产丰盛,人口众多,成为大都市,而又能兼有山水之美,以供富豪贵族们娱乐的,恐怕就只有金陵和钱塘了。这两个城市在五代纷争时,南唐的李氏和吴越的钱氏都曾在这里僭称帝王。等到大宋皇帝受命于天,天下复归一统,金陵的李氏因最后臣服而被诛伐,如今他的山河虽然还在,但已经是一片断壁颓垣、荒烟野草了。到过金陵的人看到这些景象,几乎没有不徘徊踌躇而感到凄凉的。唯独钱塘钱氏,自五代以来,就知道尊重中国,以臣子之礼顺服大宋。等到要灭亡的时候,主动俯首称臣,不曾动用干戈,至今钱塘的百姓庆幸财物完好无损,安居乐业。而且本地百姓又多熟悉工艺技巧,居民屋舍华丽,大约十万户人家,湖山环绕,左右景物互相映衬。而闽地的海商巨贾,张帆迎浪,出入在波涛浩渺的钱塘江与烟云笼罩、雾霭沉沉的东海之间,可谓兴盛极了!

到此地来的人,一定都是朝廷的公卿大臣和天子的侍从,再就是来这里作客的四方游士,所以都喜欢占据形胜之地,建筑亭台楼榭,互相穷尽游览的快乐。然而他们的选择,有的从这方面得到了,却必然又使那一方面失去。唯独我所说的有美堂,登临游览美丽的山水,人物、物产及城市屋舍的繁华,均可一览无余,尽收眼底。钱塘风光具备天下所有风景之美,而这有美堂又尽得钱塘风景之美,难怪乎梅公对它特别喜爱而难以忘怀啊!梅公清廉谨慎,好学不倦,真可谓君子。看他的所好,就可以知道他的为人了。嘉祐四年(1059)八月丁亥日,庐陵欧阳修记。

相州昼锦堂记[①]

【题解】

本文塑造了韩琦“德被生民”“功施社稷”的高大形象，表达了欧阳修鄙薄那种作威作福、趾高气扬、小人得志的做派。文章运用对比手法，有破有立，爱憎分明。

【原文】

仕宦而至将相，富贵而归故乡，此人情之所荣，而今昔之所同也。盖士方穷时，困厄闾里，庸人孺子，皆得易而侮之，若季子不礼于其嫂[②]，买臣见弃于其妻[③]。一旦高车驷马[④]，旗旄导前[⑤]，而骑卒拥后，夹道之人，相与骈肩累迹[⑥]，瞻望咨嗟[⑦]。而所谓庸夫愚妇者，奔走骇汗，羞愧俯伏，以自悔罪于车尘马足之间。此一介之士，得志于时，而意气之盛，昔人比之衣锦之荣者也[⑧]。

惟大丞相魏国公则不然[⑨]。公，相人也，世有令德，为时名卿[⑩]。自公少时，已擢高科，登显仕[⑪]，海内之士，闻下风而望余光者，盖亦有年矣。所谓将相而富贵，皆公所宜素有，非如穷厄之人，侥幸得志于一时，出于庸夫愚妇之不意，以惊骇而夸耀之也。然则高牙大纛[⑫]，不足为公荣；桓圭衮裳[⑬]，不足为公贵。惟德被生民，而功施社稷[⑭]，勒之金石[⑮]，播之声诗[⑯]，以耀后世而垂无穷，此公之志，而士亦以此望于公也。岂止夸一时而荣一乡哉！

公在至和中，尝以武康之节来治于相[17]，乃作昼锦之堂于后圃。既又刻诗于石，以遗相人。其言以快恩仇、矜名誉为可薄，盖不以昔人所夸者为荣，而以为戒。于此见公之视富贵为如何，而其志岂易量哉！故能出入将相[18]，勤劳王家，而夷险一节。至于临大事，决大议[19]，垂绅正笏，不动声色，而措天下于泰山之安，可谓社稷之臣矣[20]！其丰功盛烈，所以铭彝鼎而被弦歌者，乃邦家之光，非闾里之荣也。

余虽不获登公之堂，幸尝窃诵公之诗，乐公之志有成，而喜为天下道也，于是乎书。尚书吏部侍郎、参知政事欧阳修记。

【注释】

①相州：今河南安阳，宋属河北西路。

②苏秦：字季子，战国时洛阳人，初为连衡，说秦惠王不用，大困而归，嫂不为炊。后说燕赵为合众，遂佩六国相印。说楚过洛阳，父母郊迎，嫂蛇行匍匐，四拜自跪而谢焉。

③买臣：朱姓，字翁子，汉会稽吴人，家贫好学，负薪读书，妻羞之，求去，留之不可，后任会稽太守。见故妻及其夫于道，呼后车载归，置园中，妻愧忿，自经死。

④驷马：一车四马，古者驾车皆用四马，两服两骖，故谓之驷。

⑤旗：帛上绘熊虎者。旄：牦牛尾作装饰的旗子。

⑥骈肩：肩相比接。累迹：迹相重叠，人多拥挤之状。

⑦咨嗟：叹息。

⑧楚项羽屠咸阳，见秦残破，思东归，曰："富贵不归故乡，如衣绣

夜行。”

⑨魏国公：韩琦，时拜右仆射，封魏国公。

⑩琦父国华，字光弼，累官太常少卿、知泉州，迁右谏议大夫，卒。

⑪琦弱冠举进士第二名，及为学士临边，年甫三十。

⑫高牙：牙旗。大纛(dào)：大旗。皆显贵者之仪仗。

⑬桓圭：古代帝王与公、侯、伯、子、男等诸侯于朝聘时各执玉圭以为信符，圭有六种，表不同的爵秩等级，“桓圭”为公爵所执，长九寸。兖裳：画卷龙于衣上，上公之服。

⑭社：土地神；稷：五谷神，诸侯祀之。国灭，则变置其社稷，故为国家之代称。

⑮勒：刻。金石：谓钟鼎碑碣之属。

⑯播：传布。

⑰武康军：见《太常博士尹君墓志铭》注。

⑱琦先经略西夏，后同平章事。

⑲琦为相劝仁宗早定皇嗣，卒立濮王子宗实为皇子，是为英宗。及即位有疾，太后听政，疾瘳，琦讽太后还政，太后起，琦厉声命銮仪司撤帘，帘落，犹于御屏后见后衣。

⑳社稷之臣：谓关系国家安危之重臣。孟子：“有安社稷臣者，以安社稷为悦者也。”

【译文】

做官一直做到将军、宰相，富贵后回到家乡，这从人之常情来说是光荣的，从古到今都是这样。读书人还没有发达的时候，困居在乡里，平庸的人和小孩子都能很轻易地欺侮他，就像苏秦不被他的嫂子所礼遇，朱买臣被他妻子所抛弃那样。一旦他坐上高车驷马，旗帜在前面开道，骑兵在后面簇拥，道路两旁的人，摩肩接踵，一边观望一边赞叹。那些平庸的人和愚昧的妇人，吓得奔跑流汗，羞愧地俯伏在地上，在车马扬起的尘土中后悔自己犯下的错误。这是一个小小的读书人得志时的情景，他意气风发，从前的人就将这比作穿着锦缎的荣耀。

大丞相魏国公却不是这样。魏国公是相州人，家中世代有美德，是当时的名臣。他年轻的时候，就已经荣登高第，做了大官，天下的读书人听说后都甘拜下风，希望瞻仰他的光彩，这种状况都持续了好多年。人们所说的官拜将相，身享富贵，都是魏国公平素拥有的，不像困厄的人在某一时候侥幸得志，出于庸人和愚昧妇人的意料之外，使他们感到惊讶而向他们夸耀。然而威严的仪仗，不足以体现魏国公的荣耀；硕大的玉圭和高官的服饰，不足以体现魏国公的尊贵。只有将美德施与百姓，功勋献给国家，刻在金石上，在音乐和诗歌中传唱，使荣耀流传后世，功名永垂千古，这才是魏国公的志向，而读书人也在这一方面对魏国公寄予厚望。到了这个地步，哪里只是夸耀一时、荣耀一方呢！

魏国公在至和年间，曾经以武康军节度使的身份治理过相州，于是在后园修建了一个昼锦堂。竣工以后，又在石头上刻诗，留给相州人。诗里认为以计较恩仇为乐事，以沽名钓誉为光荣的做法是可耻的，他不把从前人们所夸耀的事情当作荣耀，却引以为戒。从这件事上就可看出他是怎么看待富贵的，他的大志向怎么能轻易估量出来！因此他能出将入相，辛勤地为皇上办事，在平时和关键时刻都不改变气节。到了面临大事、决定大计的时候，他衣着整齐，笏板拿得端正，不动声色，把国家治理得像泰山一样安稳，可以说是国家的重臣呀！他的丰功伟绩，被铭刻在彝鼎上，并在歌中流传，这是国家的光荣，而不单是一乡的荣耀。

我虽无缘登上魏国公的昼锦堂，但有幸私下里读过他的诗，为他的志向得以实现感到高兴，乐于向天下人称道，因此写下了这篇文章。尚书吏部侍郎、参知政事欧阳修记。

岘山亭记[①]

【题解】

本文一方面肯定了阳祜、杜预“垂于不朽”的功业，又讥讽他们“汲汲于后世之名”，委婉含蓄地劝勉史中辉不应趋时邀誉，希望他在政事中踏踏实实地有所建树。本文不写岘山的自然风貌，而着重写岘山的历史典故及感想，别具一格。

【原文】

岘山临汉上[②]，望之隐然，盖诸山之小者；而其名特著于荆州者[③]，岂非以其人哉？其人谓谁？羊祜叔子、杜预元凯是已[④]。

方晋与吴以兵争[⑤]，常倚荆州以为重，而二子相继于此，遂以平吴而成晋业[⑥]，其功烈已盖于当世矣。至于流风余韵，蔼然[⑦]被于江汉之间者，至今人犹思之。而于思叔子也尤深[⑧]，盖元凯以其功，而叔子以其仁，二子所为虽不同，然皆足以垂于不朽。余颇疑其反自汲汲[⑨]于后世之名者，何哉？传言叔子尝登兹山，慨然语其属，以谓此山常在，而前世之士，皆已湮灭于无闻，因自顾而悲伤。然独不知兹山待己而名著也[⑩]。元凯铭功于二石，一置兹山之上，一投汉水之渊，是知陵谷有变，而不知石有时而磨灭也[⑪]。岂皆自喜其名之甚，而过为无穷之虑欤？将自待者厚，而所思者远欤？山故有亭，世传以为叔子之

所游止也，故其屡废而复兴者，由后世慕其名而思其人者多也。

熙宁元年，余友人史君中辉，以光禄卿来守襄阳[12]。明年，因亭之旧，广而新之。既周以回廊之壮，又大其后轩[13]，使与亭相称。君知名当世，所至有声，襄人安其政而乐从其游也，因以君之官，名其后轩为光禄堂。又欲纪其事于石，以与叔子、元凯之名并传于久远，君皆不能止也，乃来以记属于予。

予谓君知慕叔子之风，而袭其遗迹，则其为人与其志之所存者可知矣。襄人爱君而安乐之如此，则君之为政于襄者又可知矣。此襄人之所欲书也。若其左右山川之胜势，与夫草木云烟之杳霭，出没于空旷有无之间，而可以备诗人之登高，写离骚之极目者[14]，宜其览者自得之。至于亭屡废兴，或自有记，或不必究其详者，皆不复道也。熙宁三年十月二十有二日，六一居士欧阳修记[15]。

【注释】

①岘(xiàn)山：在湖北襄阳南，东临汉水，一名岘首山。

②汉水：发源于陕西嶓冢山东南，流入湖北，过襄阳东北境，南行至潜江，东折至汉阳，入于江。

③荆州：即湖北襄阳，晋为荆州治，宋为京西南路襄阳府。

④羊祜：字叔子，晋泰山南城人，都督荆州军事，镇襄阳，在军轻裘缓带，务修德信以怀吴人。加征南大将军，封钜平侯，进南城郡侯，疾笃，举杜预自代，卒。预：字元凯，博学，人号杜武库，以河南尹代祜为镇南大将军，伐吴，克江陵，吴平，封富阳侯，自称有《左传》癖，作

《春秋左传集解》。

⑤司马炎受魏禅，国号晋，都洛阳，凡四主五十二年，为前赵所灭。元帝迁于建康，保有江南之地，是为东晋，凡十一主百零三年，禅于宋。吴：即三国时之吴国，孙权据江南，国号吴，凡四主五十九年，为晋所灭。

⑥晋武帝咸宁五年(279)，遣琅邪王伷及杜预、王浑、王濬等，分道伐吴，大败吴师，王濬以舟师入石头，吴主皓出降，吴亡。

⑦蔼然：和气亲人之貌。

⑧祜卒，南州士民为之罢市巷哭，吴守边将士亦为之泣。祜好游岘山，襄阳人建碑立庙于其地，岁时祭祀，望其碑者，无不流涕，因谓之堕泪碑。

⑨汲汲：急切的样子。

⑩祜乐山水，每造岘山，置酒言咏，终日不倦，尝慨然叹息，语从事中郎邹湛等曰："自有宇宙，便有此山，由来贤达胜士，登此远望，如我与卿者多矣，皆湮灭无闻，使人悲伤。如百岁后有知，魂魄犹应登此。"湛曰："公必与此山俱传，湛辈乃当如公言耳。"

⑪预好为后世名，尝言高岸为谷，深谷为陵，刻石为二碑纪其勋绩，一沉万山之下，一立岘山之上，曰："焉知此后不为陵谷乎？"

⑫光禄卿：官名，掌酒醴膳羞之政，宋初光禄寺置判寺事一人，以朝官以上充之。光禄卿、少卿皆为寄禄。

⑬轩：有窗的长廊或小屋。

⑭离骚：此以代诗，原为屈原之诗。

⑮修集古录一千卷，藏书一万卷，琴一张，棋一局，常置酒一壶，自谓以一翁老于其间，因号六一居士。

【译文】

岘山临汉水,望之隐隐约约,大概因为它是周围群山之中的小山;然而它在荆州特别有名,难道不是因为那里的人吗? 那些人是谁呢? 是羊祜叔子、杜预元凯。

当时晋与吴武力相争,常常要倚仗荆州为军事重地,而羊祜、杜预二人相继在这里任职,于是平定东吴,成就了晋的统一大业,真可谓有盖世之功。至于他们遗留下来的风尚韵致,亲民爱人之心广泛泽被江汉之间,直到现在百姓仍然不能忘怀。而对于羊叔子的思念特别深,大概是元凯凭借的是灭吴的功劳业绩,而叔子凭借的是他的仁义品行。二人所作所为虽然有所不同,然而却都足以流传千古而不朽。我很怀疑那些已有功业传世却又反过来急切地追求后世的名声的人,为什么呢? 传说羊叔子曾登上这座山,感慨地告诉部下,认为这座山一直矗立在那里,而前世的那些名人,如今都已泯灭无闻,因此羊叔子回顾自身而心有戚戚焉。然而唯独没有想到这座山是因为有了他自己才特别著名的。元凯曾在两块石碑上刻下自己的功业,一块安置在这座山上,一块投到汉水的深渊中,他知道山峦沟壑有变化,而不知道石碑随着时间的推移也会磨灭。难道他们都太重视自己的名声而忧虑重重? 还是他们因为过于重视自己所以想得这样深远呢? 岘山上本来有座亭,世人传说是羊叔子游览时休憩的地方,所以这座亭屡废屡兴,就是因为后世仰慕他的名声而思念他的人很多。

熙宁元年(1068),我的朋友史君中辉,以光禄卿出守襄阳。第二年,因为岘山亭十分破旧,就扩大并重新建造了这座亭。环绕亭子建造了壮丽的回廊后,又扩大后轩,使后轩与亭子的大小规模相称。史君闻名于天下,在他任职过的地方都留下了很高的声望,襄阳人安定于他的执政，乐于跟从他游览，就根据史君的官职，将岘山亭的后轩命名为光禄堂。又想在石碑上记录史君的事迹，打算让史君与羊叔子、杜元凯之名声一起流传久远。史君不能阻止这种举动，于是前来嘱托我写亭记。

我认为史君知道敬慕羊叔子的风流余韵，而想要承袭他的遗迹，那么史君的为人和志向就可想而知了；襄阳人敬爱史君而生活如此安乐，那么史君在襄阳为政如何又可想而知了。这就是襄阳人想要写下来的。岘山亭周围秀丽的风景，笼罩于幽深杳远之中的草木云烟，于空旷的原野上时隐时现，可以供诗人登高极目远眺，将其所见尽情写入诗篇中，这些就任由登览此亭的人自己获得感受吧。至于岘山亭的屡废屡兴，或者自有记载，或者根本不必深究详情，所以这些我都不再说明了。熙宁三年(1070)十月二十二日，六一居士欧阳修记。

樊侯庙灾记[①]

【题解】

本文主要为了破除迷信，针对荒唐可笑的"显灵"说，进行反复诘问和驳斥，有理有据，令人信服。笔法灵巧，转折顿挫，气势逼人。

【原文】

郑之盗有入樊侯庙刳[②]神像之腹者。既而大风雨雹，近郑之田，麦苗皆死。人咸骇曰："侯怒而为之也。"

予谓樊侯本以屠狗立军功，佐沛公至成皇帝[③]，位为列侯[④]，邑食舞阳[⑤]，剖符传封[⑥]，与汉长久，《礼》所谓有功德于民则祀之者欤[⑦]！舞阳距郑既不远，又汉楚常苦战荥阳、京、索间[⑧]，亦侯平生提戈斩级所立功处[⑨]，故庙而食之宜矣。

方侯之参乘沛公[⑩]，事危鸿门[⑪]，振目一顾，使羽失气，其勇力足有过人者[⑫]，故后世言雄武称樊将军，宜其聪明正直有遗灵矣[⑬]。然当盗之傳[⑭]刃腹中，独不能保其心腹肾肠，而反贻怒于无罪之民以骋其恣睢[⑮]，何哉？岂生能万人敌[⑯]，而死不能庇一躬邪？岂不灵其神于御盗，而反神于平民以骇其耳目邪？风霆[⑰]雨雹，天之所以震耀威罚有司者，而侯又得以滥用之邪？

盖闻阴阳之气，怒则薄[⑱]而为风霆；其不和之甚者，凝结而为雹。方今岁且久旱，伏阴不兴，壮阳刚燥，疑有

不和而凝结者，岂其适会民之自灾也邪？不然，则喑呜叱咤[19]，使风驰霆击，则侯之威灵暴矣哉！

【注释】

①樊侯：名哙，沛（今江苏徐州）人，初为狗屠，从高祖起沛，累从征战，封舞阳侯。

②刳（kū）：剖也。

③沛公：即汉高祖，姓刘，名邦，字季，沛丰邑人，为泗上亭长，起兵立为沛公。受义帝命伐秦，入咸阳，项籍立为汉王，后与之战，破之垓下，遂即帝位。

④列侯：诸侯。

⑤舞阳：今河南舞阳，汉置县，宋属京西北路颍昌府。

⑥符：以竹或金玉为之，书文字其上，剖而为二，各存其一，合之以为征信，汉初剖符以封功臣。

⑦《礼记·祭法》篇："圣王之制祭祀也：法施于民则祀之，以死勤事则祀之，以劳定国则祀之，能御大灾则祀之，能捍大患则祀之。"

⑧项梁与兄子籍，起兵于吴，梁死，籍自立为西楚霸王。荥阳：故城，在今河南荥阳东南；京：故城，在今河南荥阳东南；索：故城，今荥阳，皆在郑州。汉王为项羽败于萧，收散卒屯荥阳，又与楚战京、索间破之，荥阳、成皋之间，大战七十，小战四十。

⑨秦制以斩敌首加爵。一首加一级，谓之首级。

⑩参乘：亦作骖乘，古时车制，御者在中，导者在左，又一人处右，以备倾侧，戎车则称车右，余曰参乘。参：三。

⑪鸿门：在陕西临潼东，今曰项王营。

⑫沛公与项羽会鸿门，使项庄舞剑，欲杀沛公，张良出告哙，哙带剑拥

盾入，瞋目视羽，目眦尽裂，羽赐以卮酒、生彘肩，立饮啗之，因责让羽，沛公遂间行亡去。

⑬灵，《左传》："神聪明正直而壹者也。"

⑭倳（zì）：插入，与"剚"通。

⑮恣睢：恣意怒视。

⑯项羽少时，学书学剑均不成，愿学万人敌，梁乃教以兵法。

⑰霆：疾雷。

⑱薄：侵迫。

⑲喑呜叱咤（yīn wū chì zhà）：怒呼声。《史记·淮阴侯列传》："项王喑呜叱咤，千人皆废。"

【译文】

郑州有个强盗闯入了樊侯庙，剖开樊哙神像的腹部。不久，刮起了大风，下起了冰雹，以至郑州附近一带田地的麦苗都被打死了。人们都很惊恐地说："樊侯发怒而降下这场灾害。"

我认为樊哙本是个杀狗的屠夫，后来立了军功，辅佐沛公做皇帝，被封为列侯，把舞阳定为封地，剖符作为封赐的凭证，世代相传，与汉代一样长久，这便是《礼记》上所说的"对百姓有功德的人便受到祭祀"！舞阳本来离郑州就不远，而且汉、楚两军常在荥阳、京、索一带拉锯苦战，郑州也是樊侯过去征战杀敌立功的地方，所以立庙祭祀他是应该的。

当樊侯给沛公当参乘的时候，鸿门宴上岌岌可危，他瞪大眼睛，竟使霸王项羽泄气，可见他的勇猛与气力大大超过常人，所以后世之人讲到雄健威武时都会称赞樊哙将军，认为他聪明正直，难怪死后显灵。但是，当强盗将刀插入他的神像肚子上时，连五脏六腑都保不住了，反而把怒气发泄到无辜的百姓头上，放任自己的暴戾恣睢，这是为什么呢？难道说活着时力敌万人，死后连躯体也不能保护了吗？难道说他的神威不能对盗贼显示，却反而对普通百姓显示而使之惊恐不安吗？大风大雨，雷电冰雹，是上天用来显示威力、惩罚官吏的东西，樊侯岂能任性胡乱使用？

听说阴阳二气，突然爆发而互相逼近才形成了雷电；当它们之间相差最大时，便凝结成冰雹。现如今长期干旱，潜伏的阴气不能散发，阳气却猛烈而干燥，我猜想一定是阴阳二气产生巨大差异而凝结成冰雹，正好使这场灾害碰到樊侯神像被毁这件事？不然的话，樊哙大声怒吼，就使得狂风大作，雷霆交加，那么他的威灵就太厉害了吧！

序

释秘演诗集序[1]

【题解】

本文由亡友石曼卿而及秘演，通过记述秘演轩昂磊落却不为时用，潦倒困顿的不幸经历及盛衰变化，抒发了欧阳修对秘演身世、际遇的深切同情，以及对当时众多人才被埋没的无限感慨。

【原文】

予少以进士游京师，因得尽交当世之贤豪[2]。然犹以谓国家臣一[3]四海，休兵革[4]，养息天下以无事者四十年，而智谋雄伟非常之士，无所用其能者，往往伏而不出；山林屠贩[5]，必有老死而世莫见者。欲从而求之不可得。其后乃得吾亡友石曼卿。曼卿为人廓然[6]有大志，时人不能用其材，曼卿亦不屈以求合，无所放其意，则往往从布衣野老酣嬉淋漓[7]，颠倒而不厌。予疑所谓伏而不见者，庶几狎[8]而得之，故尝喜从曼卿游，欲因以阴求天下奇士。

浮屠[9]秘演者，与曼卿交最久，亦能遗外世俗[10]，以气节相高，二人欢然无所间。曼卿隐于酒，秘演隐于浮屠，皆奇男子也。然喜为歌诗以自娱，当其极饮大醉，歌吟笑

呼，以适天下之乐，何其壮也！一时贤士，皆愿从之游，予亦时至其室。十年之间，秘演北渡河，东之济郓[11]，无所合，困而归。曼卿已死，秘演亦老病。嗟夫！二人者，予乃见其盛衰，则予亦将老矣！

夫曼卿诗辞清绝[12]，尤称秘演之作，以为雅健有诗人之意。秘演状貌雄杰，其胸中浩然[13]，既习于佛，无所用，独其诗可行于世，而懒不自惜。已老，胠其橐[14]，尚得三四百篇，皆可喜者。曼卿死，秘演漠然无所向，闻东南多山水，其巅崖崛峍[15]，江涛汹涌[16]，甚可壮也，遂欲往游焉，足以知其老而志在也。于其将行，为叙其诗，因道其盛时，以悲其衰。庆历二年十二月二十八日，庐陵欧阳修序。

【注释】

①佛姓释迦，故僧皆从佛姓而称释。佛经云："汝等比丘杂类出家，皆舍本姓，称释子沙门！"秘演：山东人，工诗。

②贤豪：指在位及求仕者而言。

③臣一：臣服统一。

④古者甲胄以革为之，故谓甲曰"革"。

⑤屠贩：屠户商贩，操业之贱者。

⑥廓然：开大貌。

⑦布衣：平民百姓。淋漓：沾濡尽致之貌。

⑧狎：亲近。

⑨浮屠：同"浮图"，皆佛陀之异译。佛教为佛所创，故佛教徒皆称浮屠，寺、塔亦称浮屠。

⑩谓置世俗事于度外而若遗也。
⑪济：今山东济南等地，宋为京东东路济南府。
⑫曼卿工诗，石介作《三豪诗》，谓修豪于文，曼卿豪于诗，杜默豪于歌。
⑬浩然：广大貌。
⑭胠(qū)：打开。庄子有《胠箧》篇。橐(tuó)：口袋。
⑮崛嵂(jué lù)：山高峻貌。
⑯汹涌：水之声势。

【译文】

我年轻时以进士的身份游历京城，因而能够广泛结识当世的贤士豪杰。然而，我还是认为国家统一，停止战争，天下休养生息而太平无事四十年，但智谋出众、志向雄伟的不平凡之人，往往没有地方施展他们的才能，便隐居着不出来做官；山林及屠夫商贩里面，必定有直到老死还没有被世人发现的人才。我想去追随、寻找他们，却无法办到。后来，我终于找到那已死去的朋友石曼卿。曼卿为人开朗豪放而有远大的志向，当政的人不能用他的才能，曼卿也不肯委屈自己去苟且迎合。他没有地方抒发意愿，就常常和平民百姓、村夫野老痛快地尽兴喝酒游玩，到了癫狂的地步也毫不厌倦。我疑心那些隐居而没有被发现的人才，也许只有亲近他们才能找到他们，所以我常常喜欢跟曼卿交往，想通过他来暗中寻求天下杰出的人才。

和尚秘演，和曼卿交游时间最久，也能超脱尘俗，讲求气节以清高自守。他们两人相处欢娱，没有一点隔阂。曼卿隐藏在酒中，秘演隐居在寺庙中，他们都是有奇才的男子。他们都喜欢作诗来自娱自乐。当尽情饮酒而大醉时，他们唱歌吟诗，欢笑狂呼，来求得天下最大的快乐，那种情景是多么豪壮啊！当时的贤人，都愿意跟他们交往，我也时常到他们的住处去。在十年中，秘演北渡黄河，向东到了济州、郓州一带，竟没有遇上合意的事，不得志地回来了。曼卿已经去世，秘演也年老多病。唉！这两个人，我竟然亲眼看见他们的盛年和衰老，而我也老之将至。

曼卿的诗极为清新，他特别称道秘演的作品，认为它高雅雄健而有诗人的意趣。秘演相貌雄伟，胸怀宽广，他既然学习佛教，就没有地方施展才能了，只有他的诗可以在世上流传，可是他懒散而不珍惜自己的作品。他已经老了，打开他的诗囊，还能找到三四百篇，都是令人喜爱的作品。曼卿死后，秘演寂寞茫然失去了方向，听说东南多奇山异水，山顶悬崖高峻陡绝，江水波涛汹涌澎湃，非常壮观，就想到那里去游历。这可以知道他年纪虽然老了，而志向依旧存在。在他将要远行时，我给他的诗集写了这篇序，因而说到他盛年时的情景，来悲叹他的衰老。庆历二年(1042)十二月二十八日，庐陵欧阳修序。

释惟俨文集序

【题解】

本文虽然为文序，实则为惟俨的小传。欧阳修以石曼卿为衬托，刻画出惟俨这位耿介特立、积极用世、心怀国家的儒僧，而惋惜他“既不用于世，其材莫见于时”，表达了对当时人不能尽其才的社会现实的不满。

【原文】

惟俨姓魏氏，杭州人。少游京师三十余年，虽学于佛，而通儒术，喜为辞章[①]，与吾亡友曼卿交最善。曼卿遇人无所择，必皆尽其忻[②]欢。惟俨非贤士不交，有不可其意，无贵贱，一切闭拒，绝去不少顾。曼卿之兼爱，惟俨之介[③]，所趣虽异，而交合无所间。曼卿尝曰：“君子泛爱[④]而亲仁。”惟俨曰：“不然，吾所以不交妄人[⑤]，故能得天下士；若贤不肖混，则贤者安肯顾我哉?”以此一时贤士多从其游。

居相国浮图[⑥]，不出其户十五年。士尝游其室者，礼之惟恐不至；及去为公卿贵人，未始一往干之[⑦]。然尝窃怪平生所交皆当世贤杰，未见卓卓[⑧]著功业如古人可记者。因谓世所称贤材，若不笞兵走万里[⑨]，立功海内，则当佐天子号令，赏罚于明堂[⑩]。苟皆不用，则绝宠辱，遗世俗，自高而不屈，尚安能酣豢于富贵而无为哉? 醉则以

此诮其坐人，人亦复之[11]。以谓遗世自守，古人之所易，若奋身逢时，欲必就功业，此虽圣贤难之，周、孔所以穷达异也[12]。今子老于浮图，不见用于世，而幸不践穷亨之途，乃以古事之已然，而责今人之必然邪?

虽然，惟俨傲乎退偃于一室[13]，天下之务，当世之利病，听其言终日不厌，惜其将老也已！曼卿死，惟俨亦买地京城之东，以谋其终。乃敛平生所为文数百篇示予，曰："曼卿之死，既已表其墓，愿为我序其文，然及我之见也。"嗟夫！惟俨既不用于世，其材莫见于时，若考其笔墨驰骋文章赡[14]逸之能，可以见其志矣！庐陵欧阳永叔序。

【注释】

①辞章：文章，通作"词章"。

②忻：与"欣"通。

③介：坚确不拔。《孟子·尽心上》："柳下惠不以三公易其介。"

④泛爱：博爱。《论语·学而》："泛爱众，而亲仁。"

⑤妄人：无知妄作之人。

⑥相国浮图：即相国寺，汴京名刹。

⑦干：求也。

⑧卓卓：特立貌。

⑨笞：捶击。此为驱策之意。

⑩明堂：明政教之堂。据《明堂位》之说，则为坛于广场中，设斧扆为天子之位，外建四门；据《月令》之说，则中建太室，四方建青阳明堂总章玄，堂各三室，中一室为太庙，旁谓之左右个；据《考工记》之说，则明堂平列五室，即古寝庙之制；据《大戴礼》之说，则谓明堂九

室三十六户七十二牖，以茅盖屋，上圆下方，外环以水曰辟雍，即太学也。孟子："夫明堂者，王者之堂也。"

⑪复：答也。

⑫周公相成王，封于鲁；孔子周流列国，不遇而反，所谓穷达异也。

⑬偃：伏止。

⑭赡：丰富。

【译文】

惟俨姓魏，杭州人。年轻时在京城游学三十来年，虽然学的是佛学，但是也精通儒术，喜欢写文章，与我已故的朋友石曼卿最为要好。曼卿待人无所选择，必定竭尽欢心。惟俨则非贤德之士就不与之交往，有不符合他的标准的，无论高低贵贱，一概不予接待，断绝关系而丝毫不顾惜。曼卿兼爱，惟俨耿介，两人的志趣性格虽然不同，但交游往来毫无隔阂。曼卿曾说："君子应广泛地与大众友善，并与仁德君子亲近。"但惟俨却说："不对。我因不结交无知妄作之人，所以才能与天下的才智之士结交；如果贤人与不肖之人混在一起，那贤人还肯和我结交吗？"也正是如此，当时的贤士多愿和惟俨交往。

惟俨居住在相国寺，足不出户十五年。士人到他的住所去拜访，他都以礼相待，唯恐招待不周。但是等到这些人做了官，成为公卿贵人，他又从来不去登门请求。但他也曾私下感到奇怪，平生所交往的都是当世贤杰，却未看到能有古人那样卓著的功业可青史留名的。于是他说，世人所称道的贤才，如果不能指挥军队长驱万里，在海内建立功勋，就应当辅佐帝王在明堂发号施令，执行赏罚。如果两者都做不到，就应宠辱不惊，远离尘俗，保持清高，绝不屈从，怎么能只贪图享受富贵而无所作为呢？他喝醉了酒就用这个来讥笑在座的人，而在座的人也这样回答他，说抛弃世俗，洁身自爱，在古人容易做到；如果奋进努力而又碰上好的时代，就想要干出一番大事业，即使是圣贤也难办到，这就是周公和孔子穷困和显达不相同的原因。现在你总生活在寺庙中，不能为当世所用，侥幸没有走世人穷困或顺利的道路，却要拿古人已做到的事来要求今天的人一定要做到呢？

尽管这样，惟俨傲然地退隐在寺庙斗室之中，天下的大事，当世的利弊，听他说起来整日都不厌倦，可惜就这样老之将至了啊！曼卿死后，惟俨也在京城东边买了一块地，准备养老。于是他收集平时所写的文章数百篇拿给我看，并说："曼卿死后，您已经为他写了一篇墓表，也请您为我的文章写一篇序言，但要让我在有生之年能够看到这篇序。"唉！惟俨不被当世所用，他的才能也没有在当代表现出来，如果考察他道劲驰骋的笔墨、丰赡飘逸的文章，也可以看出他的志向。庐陵欧阳永叔序。

集古录目序[①]

【题解】

欧阳修是金石学的开创者。本文记述了欧阳修对金石文物的喜爱，肯定了金石文物的价值，介绍了《集古录》得以编成的原因和意义，表现了他不同流俗的志趣和学术研究精神。

【原文】

物常聚于所好，而常得于有力之强[②]。有力而不好，好之而无力，虽近且易，有不能致之。

象犀虎豹[③]，蛮[④]夷山海杀人之兽，然其齿角皮革，可聚而有也。玉出昆仑流沙万里之外[⑤]，经十余译[⑥]，乃至乎中国。珠出南海，常生深渊，采者腰絙而入水[⑦]，形色非人[⑧]，往往不出，则下饱蛟鱼[⑨]。金矿于山，凿深而穴远，篝火糇粮而后进[⑩]，其崖崩窟塞，则遂葬于其中者，率常数十百人。其远且难而又多死祸，常如此。然而金玉珠玑[⑪]，世常兼聚而有也。凡物好之而有力，则无不至也。

汤盘、孔鼎、岐阳之鼓[⑫]，岱山、邹峄、会稽之刻石[⑬]，与夫汉、魏已来[⑭]，圣君贤士桓碑[⑮]彝器，铭诗序记[⑯]，下至古文、籀、篆、分、隶诸家之字书[⑰]，皆三代以来至宝，怪奇伟丽、工妙可喜之物。其去人不远，其取之无祸。然而风霜兵火，湮沦磨灭[⑱]，散弃于山崖墟莽之间[⑲]，未尝收拾者，由世之好者少也。幸而有好之者，又其力或不足，故

仅得其一二，而不能使其聚也。

夫力莫如好，好莫如一。予性颛[20]而嗜古，凡世人之所贪者，皆无欲于其间，故得一其所好于斯。好之已笃，则力虽未足，犹能致之。故上自周穆王以来[21]，下更秦、汉、隋、唐、五代[22]，外至四海九州[23]，名山大泽，穷崖绝谷，荒林破冢，神仙鬼物，诡怪所传，莫不皆有，以为《集古录》。以谓转写失真，故因其石本[24]，轴而藏之[25]。有卷帙次第[26]，而无时世之先后，盖取其多而未已，故随其所得而录之。又以谓聚多而终必散，乃撮[27]其大要，别为录目[28]，因并载夫可与史传正其阙谬者，以传后学，庶益于多闻。

或讥予曰："物多则其势难聚，聚久而无不散，何必区区于是哉？"予对曰："足吾所好，玩而老焉，可也。象犀金玉之聚，其能果不散乎？予固未能以此而易彼也。"庐陵欧阳修序。

【注释】

①修集录古金石之文千卷，各为跋尾，凡四百余篇，分为十卷。

②购之有资，求之能勤，皆强有力也。

③犀：兽名，较象略小，角生鼻端，质坚致可制器，革厚足以制甲。

④南方之种族曰"蛮"。

⑤昆仑：山名，为亚洲最大山脉，分西中东三部，绵亘新疆、西藏、青海等地。古史所谓昆仑山，则专指中昆仑之南部，在甘肃、新疆之间者而言。流沙：即沙漠，今新疆大戈壁。

⑥谓相去遥远。须辗转传译十余次，乃通其言语。

⑦腰絙：谓腰系大绳。

⑧谓艰险之极，面无人色。

⑨鲛：即鲨鱼，长者二丈许，齿极利，性凶暴，能食人。

⑩篝：以笼蔽火。糇：干粮。

⑪玑：珠之不圆者。

⑫汤盘：汤沐浴之盘，其铭曰："苟日新，又日新，日日新。"见《礼记·大学》篇。孔鼎：孔子七世祖，宋正考父庙鼎，其铭曰："一命而偻，再命而伛，三命而俯，循墙而走，亦莫余敢侮。饘于是，鬻于是，以糊余口。"见《左传·昭公七年》。岐阳：岐山之阳，唐置县，属关内道凤翔府，今陕西岐山。鼓：周宣王石鼓，凡十，经约三尺余，文为周之大篆，唐时始为人知，相传为成周猎碣。或曰，成王时物，其文之可读者，约四百六十余字。

⑬岱山：即泰山；邹峄：即峄山，在山东邹县东南；会稽：今浙江绍兴有稽山。三者皆有秦始皇颂德碑，或二世诏，多李斯篆刻石。按《史记》称，秦始皇帝行幸天下，凡六刻石，二世立，又刻诏书于旁。

⑭魏：即三国时之魏，曹丕篡汉，国号魏，都洛阳，凡五主四十六年，禅于晋。

⑮桓碑：指墓碑。

⑯铭：用以警戒，或称述功德之文，古多刻钟鼎及日用之器，后或刻之于碑。

⑰古文：周时蝌蚪文字。籀（zhòu）：即大篆，周宣王时太史籀所作，故名。篆：小篆，秦丞相李斯所作，文视籀文为省，亦曰秦篆。许慎《说文》九千三百五十三文，皆小篆。分：八分，蔡琰曰："割程邈隶字八分，取二分；割李斯篆字二分，取八分，故名。"或曰：秦王次仲所作。隶：见《河南府司录张君墓表》注。

⑱湮:湮没。沦:沉沦。

⑲墟莽:墟墓草莽。

⑳颛:与“专”通,又愚蒙,扬子《法言》序:“倥侗颛蒙。”

㉑周穆王:名满,昭王子,即位时年五十余,在位五十五年。按《集古录》有周穆王刻石曰:“吉日癸巳。”在赞皇坛山上,后修又从刘敞原父,得武王时毛伯敦,龚伯彝、伯庶父敦诸铭,当作序时,但有伯冏铭吉日癸巳字为最远,故云。

㉒北周相国杨坚,初封于随,后受周禅,旋灭陈,统一中国。去辵作隋,为国号,凡四帝二十九年,禅于唐。

㉓古分天下为九州,制各不同:夏为冀、兖、青、徐、豫、荆、扬、雍、梁,见《禹贡》;商为冀、豫、徐、雍、荆、扬、幽、兖、营,见《尔雅》;周为扬、荆、豫、青、兖、雍、幽、冀、并,见《周礼》。

㉔石本:石碑之拓本。

㉕轴:卷轴。古书皆用卷子,卷端有椽,贯其中心,亦谓之轴,按修集古碑,每卷碑在前,跋在后,衔幅用名印,标以缃纸,束以缥带,题签曰某碑卷第几。

㉖卷帙:古书皆用卷子,可以舒卷,以囊盛之,故曰卷帙。

㉗撮:采取。

㉘录目:即目录,按修子棐(字叔弼),有集古录目记,谓修云吾跋诸卷之尾三百九十六篇,若撮其大要,别为录目,则吾未暇,棐乃尽发千卷,著其大略为十卷,以附跋尾之后云云,与序稍异。

【译文】

凡物往往聚集在爱好者手中,这些人能够获得,则往往是由于他们强而有力。虽然有能力但并不喜好,或者虽然喜好但没有能力,那么即使有物在你的近处且能轻而易举地获得，仍然是不能够获得的。

大象、犀牛、老虎、豹子，或生于蛮荒僻远之地，或长在深山大海之中，都是能够致人于死的猛兽。然而象牙、犀角、虎皮、豹革，仍然可为人所占有聚集。玉出产于万里之外的昆仑及沙漠，辗转周折才能到达中原。珍珠产于南海深水之中，采珠人腰系粗绳而潜水采集，外形肤色简直都不是人了，往往一入水就不能出来而葬身鲨鱼之腹。金矿深藏大山之中，须挖掘很深的矿井然后再开凿相当距离的洞穴，矿工点着火把、背负干粮掘进，如果遇上山崖崩塌，矿洞被堵塞，于是葬身其中，丧命的往往达到几十上百人。想要获得这些东西，既偏远又艰难，而且又要冒九死一生的风险，常常都是这样。然而金玉珠玑，世人也常常兼而有之。凡是物只要喜欢并且有足够的能力，则没有不能得到的。

汤盘、孔鼎、岐阳之鼓，泰山、邹峄、会稽的刻石，以及汉、魏已来圣明之君、贤能之士的墓碑、青铜礼器、铭诗、序记，再到蝌蚪文、大篆、小篆、八分书和隶书等诸多名家的字书，都是夏商周以来最珍贵的宝贝，奇形怪状，雄伟壮丽，巧夺天工，令人爱不释手。这些物件距离人们并不遥远，要获取它们也没有什么灾祸风险。然而，风霜侵蚀，战火毁坏，使这些古物湮灭损毁以至消散，它们被散乱地丢弃在山崖废墟旷野之间，从不曾有人收集整理，其原因就在于世上喜欢这些东西的人太少。幸而有爱好这些的人，又由于能力可能不够，所以仅仅能得到其中的一两件，而不能够使它们聚集起来。

有能力不如喜好，喜好不如专一。我个性专一且嗜好古董，但凡世人所贪图的，我都没有要得到的欲望，所以得以专一于我所喜好的。已然爱得极深，虽然能力有所不足，也仍然能够获得它。所以上自周穆王以来，其下经历秦、汉、隋、唐、五代，向外则达到四海九州，凡名山大泽，僻远的山崖和与世隔绝的山谷，荒僻的山林和破败的坟墓，其中的一切神仙鬼怪之物，以及种种奇闻怪谈的东西，无不被我罗致，这样就编成了《集古录》。考虑到传抄容易失真，所以刻石而制作拓本，装裱成卷轴收藏起来。卷帙虽然有次序，但并不按照时代的先后排序，因为收集得太多而又并未结束，所以随时获得随时著录进去。又因为聚积多了最终必然散乱，于是摘录要旨，另外编为《录目》，而将其中可补史书传记阙失、谬误者一并予以记载，以传给后世学者，希望有利于丰富见闻。

有人讥笑我说："物多了就难以聚合，聚合时间长了没有不散失的。何必在这件事情上太过专注呢？"我回答说："满足我的喜好，玩赏到老死也就可以了。象牙、犀角、黄金、珠玉的聚合，难道能最终不散失吗？所以我也不能够用这个去替换那个。"庐陵欧阳修序。

苏氏文集序

【题解】

本文颂扬了苏舜钦的才华和独立自守、不屈世俗的人格，高度评价了他在诗文革新运动中的贡献，对其遭诬陷打击以至郁郁而终表示深切同情。

【原文】

予友苏子美之亡后四年，始得其平生文章遗稿于太子太傅杜公之家，而集录之以为十卷。子美，杜氏婿也，遂以其集归之，而告于公曰："斯文，金玉也，弃掷埋没粪土，不能销蚀[①]。其见遗于一时，必有收而宝之于后世者。虽其埋没而未出，其精气光怪，已能常自发见，而物亦不能掩也。故方其摈斥摧挫、流离穷厄之时[②]，文章已自行于天下。虽其怨家仇人，及尝能出力而挤之死者，至其文章则不能少毁而掩蔽之也。凡人之情，忽近而贵远，子美屈于今世犹若此，其伸于后世宜如何也！公其可无恨！"

予尝考前世文章政理之盛衰，而怪唐太宗[③]致治几乎三王之盛，而文章不能革五代之余习[④]。后百有余年，韩、李之徒出[⑤]，然后元和[⑥]之文始复于古。唐衰兵乱，又百余年，而圣宋兴，天下一定，晏然[⑦]无事。又几百年，而古文始盛于今[⑧]。自古治时少而乱时多，幸时治矣，文章

或不能纯粹[9]，或迟久而不相及，何其难之若是欤？岂非难得其人欤？苟一有其人，又幸而及出于治世，世其可不为之贵重而爱惜之欤？嗟吾子美！以一酒食之过[10]，至废为民而流落以死！此其可以叹息流涕，而为当世仁人君子之职位，宜与国家乐育贤材者惜也[11]！

子美之齿少于予[12]，而予学古文反在其后。天圣之间，予举进士于有司，见时学者务以言语声偶擿裂[13]，号为时文，以相夸尚。而子美独与其兄才翁及穆参军伯长[14]，作为古歌诗杂文。时人颇共非笑之，而子美不顾也。其后天子患时文之弊，下诏书讽勉学者以近古，由是其风渐息，而学者稍趋于古焉。独子美为于举世不为之时，其始终自守，不牵世俗趋舍，可谓特立之士也。

子美官至大理评事、集贤校理而废，后为湖州长史以卒，享年四十有一。其状貌奇伟，望之昂然[15]，而即之温温[16]，久而愈可爱慕。其材虽高，而人亦不甚嫉忌，其击而去之者，意不在子美也。赖天子聪明仁圣，凡当时所指名而排斥[17]，二三大臣而下，欲以子美为根而累之者，皆蒙保全，今并列于荣宠。虽与子美同时饮酒得罪之人，多一时之豪俊，亦被收采，进显于朝廷。而子美独不幸死矣，岂非其命也？悲夫！庐陵欧阳修序。

【注释】

①蚀：日月食，凡物之侵蠹者亦曰蚀。

②摈斥：弃逐。摧挫：折磨。

③唐太宗：姓李名世民，高祖次子，佐高祖成帝业，及即位，励精图治，

用房玄龄、杜如晦等为相，去奢轻赋，宽刑整武，海内升平，威及域外，在位二十三年卒。

④五代：谓宋、齐、梁、陈、隋。唐初文章，如王勃、杨炯、卢照邻、骆宾王等，皆沿用骈偶，不脱五代绮靡之习。

⑤韩：韩愈，见《徂徕石先生墓志铭》注。李：李翱，字习之，凉武昭王后，举进士，调校书郎，知制诰，至山南东道节度使，检校户部尚书，卒谥文。从韩愈为古文，词致浑厚，见推当时，有《李文公集》十八卷行世。

⑥元和：唐宪宗年号。

⑦晏然：安静貌。

⑧宋初学士时文，仍沿五季之习，柳开、仲涂始倡为古文，修及尹洙等继之，古文始盛。

⑨粹：精专。

⑩酒食之过：指进奏院祠神用故纸钱宴客事。

⑪《孟子·尽心上》："……得天下英材而教育之，三乐也。"语意本此。

⑫齿：年。《礼记·文王世子》："古者谓年龄，齿亦龄也。"

⑬声偶：声调对偶。擿：裂，谓挑摘碎裂，务为琐细。

⑭才翁：《宋史》作子翁，名舜元，官至尚书度支员外郎，三司度支判官，歌诗豪健，尤善草书，子美莫及。穆参军伯长：名修，郓州人，为颍州文学参军，徙蔡州，卒，以古文称于时。子美兄弟多从之游，有《穆参军集》三卷。参军，为郡之曹官。

⑮昴然：高举不屈之貌。

⑯即：就，靠近。温温：和也。《论语·子张》："即之也温。"

⑰指名：见《史记·项羽本纪》，东阳人欲立陈婴为王，婴母曰："不如有所属，事成犹得封侯，事败易以亡，非世所指名也。"

【译文】

我的朋友苏子美死后四年，才从太子太傅杜公家里得到他生平的文章遗稿，收集抄录而编成十卷。子美是杜家的女婿，于是就把这部文集归还他家，并且告诉杜公说：“这些文章，如金玉一样珍贵，即使被丢弃、遭埋没于粪土，也不能将它消磨腐蚀。它虽然一时被遗弃，但后世一定有人作为珍宝收藏；虽然被埋没而没有出现在世间，但是它自有一股精气，光怪陆离，因此往往能够让自己被发现，任何东西都不能遮掩它。所以，当子美遭排挤，被斥责，受摧残挫折以至于漂泊异乡、困窘无奈的时候，他的文章却已经自己风行天下。即使是他的那些冤家仇人，以及曾经极力排挤而将他置于绝境的人，对他的文章却不能进行些许诋毁，无法将其遮蔽起来。人之常情都是忽视眼前而看重古代，子美在当代被压抑而文章还能如此，到后世他不再被压抑而文章又该是怎样的情形呢？您可以没有遗恨了！”

我曾经考察前代文学、政治的兴盛衰落，感到奇怪的是唐太宗使天下大治，几乎超过三代圣王的兴盛时期，然而他的文章却不能革除五代沿袭下来的风气。此后一百多年，韩愈、李翱这些人出现，这之后元和年间的文风开始复古。唐朝衰亡，兵荒马乱，又过了一百多年，大宋兴起，天下复归一统，太平无事。此后又过了百余年，古文始有今天的盛况。自古以来，治时少而乱时多，幸而到了治时，而文章却又或是不能纯正精粹，或是过了很久还赶不上时代的步伐，为什么文风的变革这样困难呢？难道不正是因为人才难得吗？可叹我的朋友子美，因为一顿酒饭的过失，以致被削职为民，流落异乡而死，这实在是应当为之叹息而痛哭流涕，并且使人替当代那些担任要职而本应该欢喜地为国家培育贤才的仁人君子们感到惋惜啊！

子美的年龄比我小，可是我学习古文反而在他之后。天圣年间，我在礼部参加进士考试，看到当时的学者都务求声律对偶并不惜以文害义，称之为时文，并竞相夸赞推崇。但唯独子美和他的兄长苏才翁以及穆参军伯长，创作古代风格的歌、诗、杂文。当时颇有一些人非议讥笑他们，但子美却全然不加理睬。此后，天子担忧时文的弊病，发布诏书劝勉学者学写古文，自此时文之风渐渐止息，学者逐步趋向创作古文了。只有子美在当代学者都不写古文之时，从始至终守定自己的主张，不被世俗的取舍牵制，真可谓特立独行之士了。

子美官至大理评事、集贤校理就被撤职，后来又曾做过湖州长史，卒于任上，享年四十一岁。他的形貌奇特魁伟，看上去高不可攀，而与之接近却感到他甚为谦和，时间越久越觉得他值得爱慕。他的才能虽然很高，可是别人对他也不怎么嫉恨，那些攻击他、把他排挤走的人，其用意不在子美。全靠皇上聪明仁圣，举凡当权者指名要排斥，从两三位大臣往下，欲借子美事件对他们进行株连陷害的人，都被保全下来，现在都身居显赫地位，受到恩宠。当年跟子美一起饮酒获罪的人，很多都是闻名一时的杰出人物，现在都重新被收录选用，在朝廷上进用而获得显要地位。唯独子美不幸早死，难道不是他命该如此吗？悲哀啊！庐陵欧阳修序。

送杨寘序[①]

【题解】

杨寘怀才不遇，以荫调才获得一个小小的官职，心情抑郁不平。在赴任时，欧阳修为解其忧闷，故说琴、赠琴，劝慰他用琴来陶冶性情，寄托情怀，战胜困境。全文围绕一张琴，款款叙述，委婉含蓄，情真意切。

【原文】

予尝有幽忧之疾[②]，退而闲居，不能治也。既而学琴于友人孙道滋[③]，受宫声数引[④]，久而乐之，不知疾之在其体也。夫疾，生乎忧者也。药之毒者能攻其疾之聚，不若声之至者能和其心之所不平。心而平，不和者和，则疾之忘也，宜哉！

夫琴之为技小矣。及其至也，大者为宫，细者为羽[⑤]，操弦骤作，忽然变之，急者凄然以促，缓者舒然以和。如崩崖裂石，高山出泉，而风雨夜至也；如怨夫寡妇之叹息，雌雄雍雍[⑥]之相鸣也。其忧深思远[⑦]，则舜与文王、孔子之遗音也[⑧]；悲愁感愤，则伯奇孤子、屈原忠臣之所叹也[⑨]。喜怒哀乐，动人必深，而纯古淡泊，与夫尧舜三代之言语、孔子之文章、《易》之忧患、《诗》之怨刺无以异。其能听之以耳，应之以手，取其和者，道其堙[⑩]郁，写其忧思，则感人之际，亦有至者焉。是以不可以不学也。

予友杨君，好学有文，累以进士举，不得志。及从荫调为尉于剑浦[11]，区区在东南数千里外，是其心固有不平者。且少又多疾，而南方少医药，风俗饮食异宜。以多疾之体，有不平之心，居异宜之俗，其能郁郁以久乎？然欲平其心以养其疾，于琴亦将有得焉。故予作《琴说》以赠其行，且邀道滋酌酒进琴以为别。

【注释】

①按《宋史·文苑传》，杨寘，字审贤，合肥人，察之弟，庆历二年(1042)举进士第一，授将作监丞，通判颍州，以母忧不赴，毁瘠卒。修序作于庆历七年，有累举进士不得志等语，与传异，疑另一人，待考。

②《庄子·让王》："尧让天下于子州支父。子州支父曰：'我适有幽忧之病，方且治之，未暇治天下也。'"谓其病深固。

③孙道滋：修友。《于役志》载：初贬夷陵，累与道滋等夜饮，鼓琴留宿为别。

④宫声：为五声之最浊最下者。《公羊传》注："闻宫声使人温雅而广大。"琴曲曰"引"。

⑤羽为五声中之最清最高者。

⑥雍雍：和也。

⑦吴季札聘鲁观乐，为之歌《唐》，曰："思深哉！甚有陶唐氏之遗民乎！不然，何忧之远也。"

⑧舜作五弦之琴，以歌《南风》，曰："南风之薰兮！可以解吾民之愠兮！南风之时兮！可以阜吾民之财兮！"文王为西伯时，纣拘之于羑里，文王忧愁，援琴而鼓之，曰《拘幽操》。孔子学琴于师襄，曰

《文王操》，去鲁作《龟山操》，将适晋闻杀窦鸣犊、舜华，止于息陬，为《陬操》。

⑨伯奇：尹吉甫子，吉甫听后妻之言，疑而逐之，伯奇自伤见放，援琴作《履霜操》，投河而死。屈原：名平，字灵均，战国时楚人，仕楚为三闾大夫，怀王信谗，作《离骚》以悟之，后自沉于汨罗江而死。《论语·公冶长》："子贡曰：'夫子之文章，可得而闻也。'"文章，如《易》《春秋》之属。《易经·系辞传》："孔子曰：'《易》之兴也，其于中古乎！作《易》者其有忧患乎！'"《汉书·礼乐志》："周道始缺，怨刺之诗起。"谓《变风》《变雅》之诗。

⑩堙：塞也。

⑪荫调：谓袭先世之勋荫而迁调。剑浦：今福建南平，宋属福建路南剑州。

【译文】

我曾经因过度忧劳而生病，退职闲居，还是没有医治好。后来在朋友孙道滋那里学习弹琴，学习了几支乐曲，时间一长觉得很快乐，忘记疾病还在自己身上呢。我的病，因忧劳而生。药是一种毒，能治疗肉体上的重大疾病，但是还是不如音乐那样，能够抚平心中的不平。心灵平静下来，不和顺的地方和顺了，忘记疾病在身也就自然而然了。

弹琴作为一种技艺，是很微不足道的。等这技艺达到了极点，大的是最低最浊的宫声，小的是最高最清的羽声，按着琴弦急速地弹奏，声调便随着情感的变化而变化，声音急促而显得很悲伤，声音和缓而显得很舒畅。有时好像山崩石裂，泉水从高山上涌出来，又好像夜来风雨；有时像旷夫、寡妇的叹息，又好像雌鸟、雄鸟和谐地互相唱和。它深沉的忧虑、悠远的思绪，就是虞舜、周文王和孔子的遗音；它的悲伤、愁闷、感慨、愤激，就是孤儿伯奇、忠臣屈原所发出的叹息。喜怒哀乐的情绪，深深打动人的心弦；纯厚、古雅、淡泊的音色，却跟尧舜三代的语言、孔子的文章、《周易》的忧患、《诗经》的怨恨讽刺，没有什么区别。它能够凭耳朵听出来，能够随手弹出来，如果选取那和谐的音调，排遣抑郁不畅快之情，散发郁结于心的情感，那么，往往感动人心，极为深切。因此不可以不学。

我的朋友杨君，专心致志追求学问，很有文采，屡次参加进士考试，都不得意。直到依靠祖上的官勋，才调到剑浦做县尉。而小小的剑浦远在东南几千里以外，所以他心里确实有不平的地方。并且从小又多疾病，南方缺少名医良药，风俗饮食与中原大不相同。以他多病的身躯，怀抱着不平的心思，生活在风俗不同的异乡，忧伤苦闷之下哪里能够长久呢？然而要平静他的心思，疗养他的疾病，那么弹琴也能够有一点益处吧！因此我写了这篇谈琴的文章给他送行，并且邀孙道滋一起喝酒，弹一回琴当作临别的纪念。

送田画秀才宁亲万州序[①]

【题解】

本文作于欧阳修被贬夷陵令时。欧阳修运用对比的手法，通过叙述田画祖上卓著的功业及夷陵山水之美，反衬田画家业的败落和身世的落拓，同时流露出欧阳修本人遭贬时内心的忧闷不平之感。

【原文】

五代之初，天下分为十三四[②]。及建隆之际[③]，或灭或微，其在者犹七国[④]，而蜀与江南地最大[⑤]。以周世宗之雄[⑥]，三至淮上不能举李氏[⑦]。而蜀亦恃险为阻，秦陇、山南皆被侵夺[⑧]；而荆人缩手归峡[⑨]，不敢西窥以争故地[⑩]。及太祖受天命，用兵不过万人，举两国如一郡县吏[⑪]，何其伟欤！

当此之时，文初[⑫]之祖，从诸将西平成都[⑬]，及南攻金陵，功最多，于时语名将者，称田氏。田氏功书史官，禄世于家，至今而不绝。及天下已定，将率[⑭]无所用其武，士君子争以文儒进。故文初将家子，反衣白衣[⑮]从乡进士举于有司。彼此一时，亦各遭其势而然也。

文初辞业通敏[⑯]，为人敦洁可喜。岁之仲春，自荆南[⑰]西拜其亲于万州，维[⑱]舟夷陵。予与之登高以远望，遂游东山，窥绿萝溪，坐磐石[⑲]。文初爱之，数日乃去。夷陵者，其地志云："北有夷山以为名。"或曰："巴峡之

险[20]，至此地始平夷。”盖文初所见，尚未为山川之胜者。由此向上，溯江湍[21]，入三峡，险怪奇绝，乃可爱也。当王师伐蜀时，兵出两道：一自凤州以入[22]，一自归州取忠、万以西[23]。今之所经，皆王师向所用武处。览其山川，可以慨然而赋矣[24]。

【注释】

①宋时凡士子应举者皆曰秀才。宁：省视。万州：今重庆万州，宋属夔州路。

②五代除十国外，初尚有李茂贞据凤翔为岐王，刘守光据幽州为燕王，李克用未灭梁时，据河东为晋王，不下十三四国。

③建隆：宋太祖即位年号。

④时尚余南唐、南汉、北汉、蜀、吴越五国，及荆南、湖南、漳泉三镇。

⑤蜀：后蜀。后唐灭前蜀，以孟知祥为西川节度使，后反，取东川，据全蜀，旋称帝。传子昶，为宋所灭。江南：即南唐，见《丰乐亭记》注。

⑥周世宗：名荣，本柴守礼子，周太祖郭威养以为子，继位六年，卒，传子恭帝，禅于宋。

⑦世宗显德三年(956)，亲征淮南。次年，又以水军入淮。十一月，复自将伐唐，攻濠、泗州，唐遣使献江北地，乃还。

⑧秦陇、山南：今陕西南境，唐为山南道。后汉时，晋昌节度使赵匡赞、凤翔节度使侯益并降于蜀，汉遣王景崇经略关中，亦叛降蜀，蜀改凤翔为岐阳军。

⑨荆：荆南，后梁以高季昌为荆南节度使，后更名季兴，传子从诲，从诲传子保融、保勖，保勖传保融子继冲，降于宋。归：归州，今湖北

秭归，宋属荆湖北路。峡：峡州，今湖北宜昌，宋属荆湖北路。

⑩故地：谓忠、万、夔、施，旧隶荆南，皆为蜀所侵。

⑪郡县吏无兵权，异对封建藩镇，言取之甚易。

⑫文初：田画字。按《宋史》，田钦祚，颍州汝阴人，讨蜀时，为北路先锋都监，后讨江南，领兵败吴军于溧水，进围金陵，平之，为银、夏、绥、宥都巡检使，卒。当即文初之祖。

⑬成都：今四川成都，蜀孟昶都之，乾德二年(964)，遣王全斌、崔彦进由凤州，刘廷让、曹彬由归州分道伐蜀，次年正月，进次魏城，蜀主降。

⑭率：与“帅”通。

⑮古未仕者穿白衣。

⑯辞业：文章。

⑰荆南：今湖北南境。

⑱维：系也。

⑲磐石：大石。

⑳长江自巫山入巴东，称巴峡，其最险处称黄牛滩。

㉑湍：急流。

㉒凤州：今陕西凤县，宋属陕西秦凤路。

㉓忠：忠州，今重庆忠县，宋属夔州路。

㉔《诗毛传》称君子有九能，可以为大夫，“升高能赋”“山川能说”，九能中之二也。

【译文】

五代初期，天下分为十三四个割据势力，到大宋太祖建隆年间，或灭亡或衰微，还存在的只剩下七国，而蜀国和南唐地方最大。周世宗柴荣凭借其雄才大略，三次大战淮上，还是不能够灭亡南唐李氏。而蜀国依仗险要的地势，秦陇、山南都被其侵占，而荆州南平龟缩在归州、峡州，不敢向西窥探而争夺原来的疆土。等到太祖皇帝承受天命，用兵不过数万人，就攻灭两国，擒拿其国君如同郡县的小吏，何其伟大啊！

当此之时，文初的祖先跟随诸将西向平定成都，又向南攻克金陵，功劳最大，当时所说的名将，说的就是田氏。田氏的功劳由史官著录于史书，世代高官厚禄，直到现在还没有断绝。等到天下平定，将士没有用武之地，士君子争着靠文学儒术进用。因此文初虽然出身于将军世家，反而穿着白衣，考中进士而到被举荐到相关部门任职。彼此时代不同，各自的遭遇自然而然也就不可同日而语了。

文初文采斐然，通达聪慧，为人敦厚廉洁，令人心悦。这年的二月，从荆南向西，省亲万州，路上系船停泊于夷陵。我与他登高远望，于是游览东山，窥视绿萝溪，坐在磐石之上。文初非常喜欢此地，逗留数天才走。夷陵，地方志上说："北有夷山，所以以此为名。"又说，"巴峡险阻，到此地面才平坦。"大概文初所看到的，还不是此地山川最为壮丽的。由此而上，沿着急湍的江流，进入三峡，险要怪异，奇妙到极点，是最让人喜爱的。当时王师讨伐蜀国，大军两路并进：一路从凤州入蜀，一路从归州攻取忠州、万州以西的地方。现在所经过的地方，就是以前王师用武之地。游览壮美山川，可以感慨而赋了。

梅圣俞诗集序

【题解】

这篇序文通过对梅尧臣坎坷仕途的叙写，提出了诗"穷而后工"这一著名美学观点。欧阳修高度评价了梅尧臣的诗歌才能和创作成就，表达了对友人的无比倾慕及对其困顿处境的深切惋惜。行文低昂顿挫，转折自然舒纡，语言平淡无华、明白流畅。

【原文】

予闻世谓诗人少达而多穷，夫岂然哉？盖世所传诗者，多出于古穷人之辞也。凡士之蕴其所有，而不得施于世者，多喜自放于山巅水涯之外，见虫鱼草木风云鸟兽之状类[①]，往往探其奇怪。内有忧思感愤之郁积，其兴于怨刺，以道羁臣[②]、寡妇之所叹，而写人情之难言，盖愈穷而愈工。然则非诗之能穷人，殆穷者而后工也。

予友梅圣俞，少以荫补为吏。累举进士，辄抑于有司，困于州县，凡十余年。年今五十，犹从辟书[③]，为人之佐[④]。郁其所畜，不得奋见于事业。其家宛陵，幼习于诗，自为童子，出语已惊其长老[⑤]。既长，学乎六经仁义之说。其为文章，简古纯粹，不求苟说于世，世之人徒知其诗而已。然时无贤愚，语诗者必求之圣俞。圣俞亦自以其不得志者，乐于诗而发之。故其平生所作，于诗尤多。世既知之矣，而未有荐于上者。昔王文康公尝见而

叹曰："二百年无此作矣！"虽知之深，亦不果荐也。若使其幸得用于朝廷，作为雅颂，以歌咏大宋之功德，荐之清庙⑥，而追商、周、鲁《颂》之作者⑦，岂不伟欤！奈何使其老不得志，而为穷者之诗，乃徒发于虫鱼物类、羁愁感叹之言！世徒喜其工，不知其穷之久而将老也，可不惜哉！

圣俞诗既多，不自收拾。其妻之兄子谢景初⑧，惧其多而易失也，取其自洛阳至于吴兴已来所作，次为十卷。予尝嗜圣俞诗，而患不能尽得之，遽喜谢氏之能类次也⑨，辄序而藏之。

其后十五年，圣俞以疾卒于京师。余既哭而铭之，因索于其家，得其遗稿千余篇，并旧所藏，掇其尤⑩者七百七十七篇，为一十五卷。呜呼！吾于圣俞诗论之详矣，故不复云⑪。庐陵欧阳修序。

【注释】

①《论语·阳货》："多识于鸟兽草木之名。"谓学诗也。

②羁臣：羁旅之臣。

③辟书：征召掾属之书。

④佐：郡县之佐。圣俞尝为县主簿，见《梅圣俞墓志铭》。

⑤长老：年高者之通称。

⑥荐：进用。清庙：周祀文王之庙，以文王有清明之德，故名。

⑦《商颂》：宋戴公时，正考父得之于周太师，共十二篇，归以祀其先王，孔子删诗时，余《那》等五篇。《周颂》：周初宗庙之乐歌，多周公所定，亦有康王以后之诗，有《清庙》等三十一篇。《鲁颂》：鲁之庙乐，旧谓皆鲁僖公之诗，有《駉》《泮水》等四篇。

⑧谢景初：谢绛长子。

⑨遽：语助词，遂，于是。

⑩尤：优，佳。

⑪谓前论之已详，兹不再云。《居士外集》尚有《书梅圣俞稿后》一文，当即指此。

【译文】

我听到世人说，诗人显达的少而困厄的多，难道真是这样吗？大概是因为世上所流传的诗歌，大多出于古代困厄之士的笔下吧。大凡胸藏才智而又不能充分施展于世的士人，大都喜爱到山头水边去放浪形骸，看见虫鱼草木、风云鸟兽等事物，往往探究它们的奇特怪异之处。内心郁积着忧愁思虑、感慨愤激，这些情感寄托在怨恨讽刺之中，道出了羁旅之臣、寡妇的慨叹，而写出了常人所难于言传的感情，大概越困厄就越工巧。这样看来，并非写诗使人穷困潦倒，大概是人穷困潦倒后才能写出好诗来。

我的朋友梅圣俞，年轻时由于祖先功勋而补官为下级官吏。屡次考进士，总是遭到有关部门的压制，在地方上困厄了十多年。现在年已五十，还要靠别人下聘书，去当佐吏。满腹才华，却不能在事业上充分地展现出来。他家乡在宛陵，幼年时就学习诗歌，从他孩童时起，写出诗句来就已使得父老长辈惊异了。等到长大，学习了六经仁义的学问。他写出的文章简古纯正，不求苟且取悦于世人，因此世人只知道他会写诗罢了。然而当时人不论贤愚，谈论诗歌必然会向圣俞请教。圣俞也把自己不得志的地方，喜欢通过诗歌来发泄，因此他平时所写的东西，其中诗歌就特别多。社会上已经知道他了，却没有人向朝廷推荐他。从前王文康公曾看到他的诗作，慨叹道："两百年没有这样的作品了!”虽然对他了解很深,可还是没有加以推荐。假使他有幸得到朝廷的任用,写出如《诗经》中雅、颂那样的作品,来歌颂大宋的功业恩德,献给宗庙,使他类似于商颂、周颂、鲁颂等作者,难道不是很壮伟的吗!为什么使他到老也不得志,只能写困厄者的诗歌,白白地在虫鱼之类上抒发穷苦愁闷的感叹!世人只喜爱他诗歌的工巧,却不知道他困厄已久将要老死了,难道不值得叹息吗!

圣俞的诗很多,自己却不收拾整理。他的内侄谢景初担心它太多而容易散失,选取他从洛阳到吴兴这段时间的作品,编为十卷。我曾经酷爱圣俞的诗作,担心不能全部得到它,十分高兴谢氏能为它分类编排,就为之作序并保存起来。

从那以后又过了十五年,圣俞因病在京师去世。我已痛哭着为他写好了墓志铭,便向他家索求,得到他的遗稿一千多篇,连同先前所保存的,选取其中特别好的共六百七十七篇,分为十五卷。唉,我对圣俞的诗歌已经评论得很多了,所以不再重复论述了。庐陵欧阳修序。

送徐无党南归序[1]

【题解】

本文欧阳修用“三不朽”的观点劝勉学生徐无党要修身立德、施事立功，另一方面间接批评当时浮奢的文风，阐明其文道并重的思想。

【原文】

草木鸟兽之为物，众人之为人，其为生虽异，而为死则同，一归于腐坏澌[2]尽泯灭而已。而众人之中，有圣贤者，固亦生且死于其间，而独异于草木鸟兽众人者，虽死而不朽，逾远而弥存也。其所以为圣贤者，修之于身，施之于事，见之于言，是三者所以能不朽而存也[3]。修于身者，无所不获；施于事者，有得有不得焉；其见于言者，则又有能有不能也。施于事矣，不见于言可也。自《诗》《书》《史记》所传[4]，其人岂必皆能言之士哉？修于身矣，而不施于事，不见于言，亦可也。孔子弟子，有能政事者矣，有能言语者矣[5]，若颜回者[6]，在陋巷，曲肱[7]饥卧而已，其群居则默然终日如愚人。然自当时群弟子皆推尊之，以为不敢望而及[8]，而后世更百千岁，亦未有能及之者。其不朽而存者，固不待施于事，况于言乎！

予读班固《艺文志》[9]，唐《四库书目》[10]，见其所列，自三代、秦、汉以来，著书之士，多者至百余篇，少者犹三四

十篇，其人不可胜数，而散亡磨灭，百不一二存焉。予窃悲其人，文章丽矣，言语工矣，无异草木荣华之飘风[11]，鸟兽好音之过耳也！方其用心与力之劳，亦何异众人之汲汲营营？而忽焉以死者，虽有迟有速，而卒与三者[12]同归于泯灭。夫言之不可恃也盖如此。今之学者，莫不慕古圣贤之不朽，而勤一世以尽心于文字间者，皆可悲也！

东阳徐生[13]，少从予学为文章，稍稍见称于人。既去，而与群士试于礼部，得高第，由是知名。其文辞日进，如水涌而山出。予欲摧其盛气而勉其思也，故于其归，告以是言。然予固亦喜为文辞者，亦因以自警焉。

【注释】

①徐无党：浙江永康人，与弟无逸等从修学古文辞，尝为修注《五代史》。皇祐中，举进士，宰渑池，为郡教授以卒。

②澌：尽也。

③《左传·襄公二十四年》：鲁叔孙豹与晋范匄论三不朽，曰："太上有立德，其次有立功，其次有立言，虽久不废，此之谓不朽。"语意本此。

④《史记》：古史书之统称，《春秋·序》："《春秋》者，鲁《史记》之名也。"孔子约《史记》而修《春秋》，《史记·六国表》："秦烧天下《诗》《书》，诸侯《史记》尤甚。"

⑤德行、言语、政事、文学，为孔门四科，孔子各因其材而设教焉。《论语》："德行：颜渊、闵子骞、冉伯牛、仲弓；言语：宰我、子贡；政事：冉有、季路；文学：子游、子夏。"

⑥颜回：字子渊，鲁人，孔子弟子，少孔子三十岁，年三十二卒，后世称

为复圣。

⑦肱：臂自肘及腕。孔子曰：“饭疏食饮水，曲肱而枕之，乐亦在其中矣。”见《论语》。

⑧颜回一箪食，一瓢饮，在陋巷，不改其乐。又孔子与回言，终日不违如愚；问子贡与回孰愈，曰：“赐也何敢望回！”皆见《论语》。

⑨班固：字孟坚，东汉安陵人。彪长子，博通载籍，明帝时，典校秘书，彪作《西汉书》未成，固续成之，凡百二十卷。《艺文志》：《汉书》八志之一，汇录当时所存典籍，仿刘歆《七略》为之。

⑩唐开元时，两都各聚书四部，以甲乙丙丁为次，列经史子集四库，著录者五万三千余卷，又唐人书二万八千余卷，置知书官八人分掌之。

⑪《尔雅》：“木谓之华，草谓之荣。”言草木开花。

⑫三者：指草木、鸟兽、众人而言。

⑬东阳：今浙江东阳，宋属浙东路婺州。

【译文】

草木鸟兽被视为物，而世间众人被称作人，他们生活在世上时虽有分别，然而必有一死却是同样的，最终都必然腐烂损坏而至于消亡殆尽。不过世间众人中有所谓的圣贤，虽然他们也是有生有死，然而却和草木鸟兽及世人完全不相同，他们虽然死亡却不朽，时间越久越觉得其依然存在。他们之所以成为圣贤，在于修养己身，成就功业，传世言论，正是靠这三者，他们才能不朽。修养己身，一定能有所收获；想要建功立业，则可能有所得，也可能无所得；传世言论，则又有能兑现和不能兑现之分。能够建立功业，没有传世言论也是可以的。《诗》《书》《史记》所记载的那些人，难道都一定是能言之士吗？至于自身修养高尚的人，未能建立功业，又或者有言论传世，也是可以的。孔子的弟子中，有能建立功业的，有能著书立说的，而颜渊独居陋巷，贫困不堪，只能枕着自己的胳膊、忍饥挨饿地躺着，与人相处时又整天沉默寡言，像是愚笨无能之人。然而当时孔门众多弟子都推举尊崇颜渊，认为他是可望而不可即的典范。就是后世千百年来，也没有人能达到他那样的境界。所以，不朽而永存之人，固然不是凭借他的功业成就，更不必说言论了吧！

我曾读班固《汉书·艺文志》、唐《四库书目》，见当中列举上古三代、秦、汉以来有著作流传的文人，其作品多者竟达百余篇，少者犹有三四十篇。像这样的作者和作品多不胜数，然而大部分的作品却已随时间而流散、丢失乃至于毁灭，到最后百分之一二也难留存。我真为这些人悲叹，他们的文章华丽，言语工巧，无异于草木枝繁叶茂、百花盛开时随风飘散的香气，无异于鸟兽悦耳的啼鸣划过我们的耳边。他们创作之时竭尽心力，这又和世人为事业忙忙碌碌有何分别呢？而忽然死亡，虽然有早有晚，然而最终同草木、鸟兽、世人三者一样归于泯灭，可想而知靠言论以求不朽是不能指望的，道理就是这样。现今的学者，他们全都羡慕古代圣贤之不朽，于是便辛辛苦苦一生，在文字方面竭尽心力，那真是太可悲了！

东阳徐生，从小便跟随我学习写作文章，后来渐渐受到人们的称赞。离开我这里之后，又与读书人一起赴礼部科举，一举得中而且名列前茅，因此名声显著。他的文章日渐进步，行文如泉水从山间涌出。不过，我还是要挫挫他的锐气而勉励他更深入地思考，因此在他南归之时，以这些话来告诫他。不过我自己同样喜爱为文写作，因此也用本文来警诫自己。

江邻几文集序[①]

【题解】

本文从回顾和哀悼去世的故旧交游写起，对此感叹生死盛衰的变化，并抒发对故旧的思念感情，最后再都落实到江邻几身上。环环相扣，层层深入，充满深沉的感情，使人产生共鸣。

【原文】

余窃不自揆[②]，少习为铭章，因得论次当世贤士大夫功行。自明道、景祐以来，名卿巨公，往往见于余文矣。至于朋友故旧，平居握手言笑，意气伟然，可谓一时之盛。而方从其游，遽哭其死，遂铭其藏者，是可叹也！

盖自尹师鲁之亡，逮[③]今二十五年之间，相继而殁，为之铭者，至二十人。又有余不及铭，与虽铭而非交且旧者，皆不与焉。呜呼！何其多也！不独善人君子，难得易失，而交游零落如此，反顾身世死生盛衰之际，又可悲夫！

而其间又有不幸罹忧患[④]，触网罗[⑤]，至困厄流离以死，与夫仕宦连蹇[⑥]，志不获伸而殁，独其文章尚见于世者，则又可哀也欤！然则虽其残篇断稿，犹为可惜，况其可以垂世而行远也！故余于圣俞子美之殁，既已铭其圹，又类集其文而序之，其言尤感切而殷勤者，以此也。

陈留[⑦]江君邻几，常与圣俞、子美游，而又与圣俞同时以卒，余既志而铭之。后十有五年，来守淮西[⑧]，又于

其家得其文集而序之。邻几毅然[9]仁厚君子也，虽知名于时，仕宦久而不进，晚而朝廷方将用之，未及而卒。其学问通博，文辞雅正深粹，而论议多所发明，诗尤清淡闲肆可喜。然其文已自行于世矣，固不待余言以为轻重，而余特区区于是者，盖发于有感而云然。熙宁四年三月，六一居士序。

【注释】

①江邻几：名休复，开封陈留人，为文淳雅，尤长于诗。累官集贤校理，修起居注，迁刑部郎中，卒。著《唐宣鉴》十五卷，《春秋世论》三十卷，《文集》二十卷，又作《神告》一篇，言立皇储事。

②不自揆：犹言不自量，谦词。揆，度。

③逮：及也。

④罹：遭遇。

⑤触网罗：谓罹刑辟，犹言刑网。

⑥连蹇：行而不进貌。

⑦陈留：今河南开封，宋属京畿路开封府。

⑧淮西：蔡州。熙宁三年(1070)，修知蔡州，蔡州在淮水以西，故曰淮西。

⑨毅然：果决之貌。

【译文】

我私下里不自量力，从年轻时开始学习作墓志铭，因此得以论定编次当代杰出的士大夫的功绩和德行。自明道、景祐年间以来，名公巨卿时常出现在我的文章中。至于朋友故旧，平日握手谈欢，志向气概卓异超群，真可谓盛极一时。而刚刚还跟随着一起游览，突然就要痛哭他的死亡，然后写墓志铭而安葬他，真是令人感慨啊！

自从尹师鲁去世，到今天二十五年中间，相继而死，而我为其写墓志铭的有二十人。还有我来不及写墓志铭的，和虽然写了墓志铭却不是旧交的，都不算在里面。唉，真是太多了！不单单好人和君子太难得而容易失去，而朋友凋零到如此地步，回顾人生的经历和生死盛衰的光景，真是令人伤心啊！

而其中又有不幸遭遇忧虑祸患，被网罗而不得脱身，以至于困顿流离而死，或者仕途坎坷，不得志而死，而唯独他的文章还可以流传于世，则又是令人悲痛啊！然而即使是他们残缺不全的著作，也尤其令人为之惋惜，更何况其中可以留传于世而传布广远的！所以我对梅圣俞、苏子美的死，虽然写了墓志铭，又收集编次他们的文章而为之作序，其中的言语尤其伤感凄切而情意深厚，就是因为这个缘故。

陈留江邻几，常常与圣俞、子美往来交游，而又与圣俞同年而死，我已经给他写了墓志而刻在碑上。十五年后，我到淮西任职，又从他家得到他的文集而为之作序。邻几是位刚强果决而仁爱宽厚的君子，虽然知名当时，但做官很久了也没有得到提拔，等到年老了朝廷才准备任用他，还未来得及就去世了。他的学问通达渊博，文辞典雅方正而深厚纯粹，文章多有建树，诗清新恬淡、悠闲自然而尤其令人喜爱。然而他的文章已经自己流传于世，本不凭我的评价来决定水平高低，而我于此不避琐细的原因，大概是出于深怀感触而这样讲出来。熙宁四年(1071)三月，六一居士序。

传

六一居士传

【题解】

这是一篇自传性散文。欧阳修没有具体叙述自己一生的主要经历，而是由自己晚年更名六一居士的由来说到自己的乐趣，即游乐于书、金石、琴、棋、酒五物之中，以消度余光晚景，表达了他不再留恋功名的决心。

【原文】

六一居士初谪滁山，自号醉翁。既老而衰且病，将退休于颍水[①]之上，则又更号六一居士。

客有问曰："六一何谓也？"居士曰："吾家藏书一万卷，集录三代以来金石遗文一千卷，有琴一张[②]，有棋一局[③]，而常置酒一壶。"客曰："是为五一尔，奈何？"居士曰："以吾一翁，老于此五物之间，是岂不为六一乎？"

客笑曰："子欲逃名者乎[④]，而屡易其号，此庄生所诮畏影而走乎日中者也[⑤]。余将见子疾走大喘渴死，而名不得逃也。"居士曰："吾固知名之不可逃，然亦知乎不必逃也。吾为此名，聊以志吾之乐尔。"客曰："其乐如何？"居士曰："吾之乐可胜道哉！方其得意于五物也，泰山在前而不见，疾雷破柱而不惊[⑥]。虽响九奏于洞庭之野[⑦]，

阅大战于涿鹿之原[⑧]，未足喻其乐且适也。然常患不得极吾乐于其间者，世事之为吾累者众也。其大者有二焉：轩裳珪组劳吾形于外[⑨]，忧患思虑劳吾身于内，使吾形不病而已悴，心未老而先衰，尚何暇于五物哉？虽然，吾自乞其身于朝者三年矣[⑩]；一日，天子恻然哀之，赐其骸骨，使得与此五物偕返于田庐，庶几偿其夙愿焉[⑪]。此吾之所以志也。”

客复笑曰：“子知轩裳珪组之累其形，而不知五物之累其心乎？”居士曰：“不然。累于彼者已劳矣，又多忧；累于此者既佚矣，幸无患；吾其何择哉？”于是与客俱起，握手大笑曰：“置之！区区不足较也。”

已而叹曰：“夫士少而仕，老而休，盖有不待七十者矣[⑫]，吾素慕之，宜去一也。吾尝用于时矣，而讫无称焉[⑬]，宜去二也。壮犹如此，今既老且病矣，乃以难强[⑭]之筋骸，贪过分之荣禄，是将违其素志，而自食其言[⑮]，宜去三也。吾负三宜去，虽无五物，其去宜矣，复何道哉！”熙宁三年九月七日，六一居士自传。

【注释】

①颍水：出河南登封西境颍谷，东南流会沙河、贾鲁河诸水，入安徽境，经太和阜阳颍上，而入于淮。按皇祐元年(1049)，修知颍州，乐其西湖之胜，将买田卜居，熙宁元年(1068)，遂筑第于颍，终焉。

②凡物之可以张弛者皆以张计，幄幕、弓弩、琴瑟之类。

③局：棋枰。

④逃名：谓避其名而不居。《后汉书·逸民列传》：“逃名而名我随。”

⑤庄生：名周，战国蒙人，尝为漆园吏，其学无所不窥，大要归本于老子，著书十余万言，号《庄子》，唐玄宗诏号为《南华真经》，大多为寓言。《庄子·渔父》篇："人有畏影恶迹而去之走者，举足愈数而迹愈多，走愈疾而影不离身，自以为尚迟，疾走不休，绝力而死。"

⑥晋刘伶《酒德颂》："静听不闻雷霆之声，熟视不睹泰山之形。"语意本此。

⑦凡乐作谓之"奏"。《史记》载：赵简子梦之帝所，与百神游于钧天，广乐九奏万舞，不类三代之乐。《庄子·天运》："(黄)帝张咸池之乐于洞庭之野。"

⑧涿鹿：山名，在河北涿鹿东南，黄帝诛蚩尤于涿鹿之野，蚩尤作大雾，帝作指南车以示四方，遂戮蚩尤。

⑨轩裳：卿大夫之车服；珪：同"圭"；组：印绶。皆贵者之器。

⑩仕者委身于君，故致仕为乞身，亦曰乞骸骨。

⑪夙愿：旧愿。

⑫《礼记·曲礼上》："大夫七十而致事。"谓告老。

⑬称(chēng)：适合。

⑭强：勉强。

⑮食言：谓行反其言。《左传·哀公二十五年》载：孟武伯恶郭重，曰："何肥也！"公曰："是食言多矣，能无肥乎？"

【译文】

六一居士最初被贬谪到滁州山乡时，自己以醉翁为号。年老体衰又多病，将要辞别官场，到颍水之滨颐养天年，于是又改变名号叫六一居士。

有位客人问道："'六一'是什么意思呢？"居士说："我家里藏书一

万卷,收集、著录夏商周三代以来金石文书一千卷,有琴一张,有棋一盘,又经常治备好酒一壶。”客人说:“这只是五个一,怎么说‘六一’呢?”居士说:“再加上我一个老翁,在这五种物品中间老去,难道不是‘六一’了吗?”

客人笑着说:“您大概是想逃避名声的人吧,所以屡次改换名号,这正像庄子所讥讽的那个害怕影子而跑到阳光中去的人。我将会看见您迅速奔跑,大口喘气,最后因干渴而死,然而名声却还是不能逃避。”居士说:“我本来就知道名声不可以逃避,也知道我没有必要逃避。我取这个名号,姑且用来记下我的志趣罢了。”客人说:“您的志趣怎么样呢?”居士说:“我的乐趣哪里可以说得尽呢!当我从这五种物品中得到意趣时,泰山在眼前也看不见,霹雳雷霆劈破柱子也不惊慌。即使是在洞庭湖原野上奏响《九韶》之乐,在涿鹿平原观看上古大战,也不足以形容此时此刻的欢欣和舒适。然而我常常忧虑不能在这五种物品间尽情享乐,世事给我带来的累赘太多了。其中大的方面有两件:官车官服、符信印绶从外面劳累我的形体,忧患思虑从里面疲惫我的心灵,使我的身体没有生病却已经显得憔悴,人还没有老而精神却已衰竭,还哪里有闲暇时间花在这五种物品上呢?虽然如此,我已向朝廷请求告老还乡三年了;如果哪天天子以其恻隐之心哀怜我,赐还我这把老骨头,让我能够和这五种物品一起回归田园草庐,差不多就能实现自己素来的愿望了。这便是我表明我的志趣的原因。”

客人又笑着说:“您知道官车官服、符信印绶劳累自己的身体,却不知道这五种物品也会劳心劳力吗?”居士说:“不是这样。被官场拖累已经很劳苦了,又有很多忧愁;被这些物品所吸引,既安逸,又庆幸没有祸患；我将选择哪方面呢？”于是和客人一同站起来，握着手大笑说：“停止辩论吧，区区小事，不值得比较。”

之后，居士叹息说：“读书人从年轻时开始做官，到年老时退休，往往还不到七十岁。我素来羡慕他们，这是我去职的第一个原因。我曾被朝廷任用，但最终没有值得称道的政绩，这是应该去职的第二个原因。强壮时尚且如此，现在既年老又多病，凭着难以支撑的躯体，去贪恋过多的荣位俸禄，是违背自己平素的志愿，自食其言，这是应当去职的第三个原因。我有这三点应当去职的理由，即使没有这五种物品，也应当退休去职，还要再说什么呢！”熙宁三年(1070)九月七日，六一居士自传。

桑怿传[1]

【题解】

本文主要记述桑怿捕盗、拒绝行贿、让赏、弃粟救民及赈灾等事，塑造了一位智勇双全、仁义无双的奇男子形象。欧阳修对桑怿的事迹都是从儒家的道德规范加以审视的，寄托了他对儒家理想的追求。

【原文】

桑怿，开封雍丘人[2]。其兄慥，本举进士有名。怿亦举进士，再不中，去游汝、颍间[3]，得龙城废田数顷[4]，退而力耕。岁凶，汝旁诸县多盗。怿白[5]令："愿为耆长[6]，往来里中察奸民。"因召里中少年，戒曰："盗不可为也！吾在此，不汝容也！"少年皆诺。里老父子死未敛，盗夜脱其衣。里父老怯，无他子，不敢告县，羸[7]其尸，不能葬。怿闻而悲之，然疑少年王生者，夜入其家，探其箧[8]，不使之知觉。明日遇之，问曰："尔诺我不为盗矣，今又盗里父子尸者，非尔邪？"少年色动，即推仆地[9]，缚之。诘共盗者，王生指某少年，怿呼壮丁守王生，又自驰取某少年者，送县，皆伏法[10]。

又尝之郏城[11]，遇尉方出捕盗，招怿饮酒，遂与俱行。至贼所藏，尉怯，阳[12]为不知以过。怿曰："贼在此，何之乎？"下马独格[13]杀数人，因尽缚之。又闻襄城[14]有盗十许人，独提一剑以往，杀数人，缚其余。汝旁县为之无盗。

京西转运使[15]奏其事，授郏城尉。

天圣中，河南诸县多盗，转运奏移渑池尉[16]。崤，古险地[17]，多深山，而青灰山尤阻险，为盗所恃。恶盗王伯者，藏此山，时出为近县害。当此时，王伯名闻朝廷，为巡检者[18]，皆授名以捕之[19]。既怿至，巡检者伪为宣头以示怿[20]，将谋招出之。怿信之，不疑其伪也。因谍[21]知伯所在，挺身[22]入贼中招之，与伯同卧起十余日，乃出。巡检者反以兵邀于山口，怿几不自免。怿曰："巡检授名，惧无功尔。"即以伯与巡检，使自为功，不复自言。巡检俘献京师，朝廷知其实，罪黜巡检。

怿为尉岁余，改授右班殿直、永安县巡检。明道、景祐之交，天下旱蝗，盗贼稍稍起，其间有恶贼二十三人，不能捕。枢密院以传[23]召怿至京，授二十三人名，使往捕。怿谋曰："盗畏吾名，必已溃，溃则难得矣，宜先示之以怯。"至则闭栅[24]，戒军吏无一人得辄出。居数日，军吏不知所为，数请出自效，辄不许。既而夜与数卒变为盗服以出，迹[25]盗所尝行处。入民家，民皆走，独有一媪留[26]，为作饮食，馈之如盗。乃归，复避栅三日，又往，则携其具就媪馔，而以其余遗媪，媪待以为真盗矣。乃稍就媪，与语及群盗辈。媪曰："彼闻桑怿来，始畏之，皆遁矣；又闻怿闭营不出，知其不足畏，今皆还也。某在某处，某在某所矣。"怿尽钩[27]得之。复三日，又往，厚遗之，遂以实告曰："我，桑怿也，烦媪为察其实而慎勿泄！后三日，我复来矣。"后又三日往，媪察其实审矣。明旦，部分[28]军士，用甲若干人于某所取某盗，卒若干人于某处取某盗。其尤强者在某所，则自驰马以往，士卒不及从，惟四骑追之，遂与贼遇，手杀三人。凡二十三人者，一日皆获。二十八日，复命京师。

枢密吏谓曰："与我银，为君致阁职[29]。"怿曰："用赂得官，非我欲，况贫无银；有，固不可也。"吏怒，匿其阀[30]，以免短使送三班[31]。三班用例，与兵马监押[32]。未行，会交趾獠叛[33]，杀海上巡检，昭、化诸州皆警[34]，往者数辈不能定。因命怿往，尽手杀之。还，乃授阁门祗候。怿曰："是行也，非独吾功，位有居吾上者，吾乃其佐也，今彼留而我还，我赏厚而彼轻，得不疑我盖其功而自伐乎[35]？受之徒惭吾心。"将让其赏归己上者，以奏稿示予。予谓曰："让之，必不听，徒以好名与诈取讥也。"怿叹曰："亦思之，然士顾其心何如尔，当自信其心以行，讥何累也？若欲避名，则善皆不可为也已。"余惭其言。卒让之，不听。怿虽举进士，而不甚知书，然其所为，皆合道理，多此类。

始居雍丘，遭大水，有粟二廪[36]，将以舟载之，见民走避溺者，遂弃其粟，以舟载之。见民荒岁，聚其里人饲之，粟尽乃止。怿善剑及铁简[37]，力过数人，而有谋略。遇人常畏，若不自足。其为人不甚长大，亦自修为威仪，言语如不出其口[38]，卒[39]然遇人，不知其健且勇也。

庐陵欧阳修曰："勇力人所有，而能知用其勇者，少矣。若怿，可谓义勇之士。其学问不深而能者，盖天性也。余固喜传人事，尤爱司马迁善传[40]，而其所书皆伟烈奇节，士喜读之，欲学其作，而怪今人如迁所书者何少也！乃疑迁特雄文，善壮其说，而古人未必然也。及得桑怿

事，乃知古之人有然焉，迁书不诬也[41]，知今人固有而但不尽知也。怿所为壮矣，而不知予文能如迁书，使人读而喜否？姑次第之。”

【注释】

①怿后为泾原路兵马都监，屯镇戎军，与任福遇西夏兵于好水川，力战死，详《尹师鲁墓志铭》注。

②雍丘：今河南杞县，宋属京畿路开封府。

③汝：今河南临汝，宋属京西北路。

④汝州有龙兴县，唐置，县有豢龙城，当即其地，宋后改名宝丰，今河南宝丰。百亩曰顷。

⑤白：禀告。

⑥宋初循旧制，县置耆长、弓手、壮丁以逐捕盗贼，各以乡户等第差充。

⑦羸：裸体。

⑧箧：竹箱。

⑨仆(pū)：向前跌倒。

⑩伏法：有罪就刑。

⑪之：往也。郏城：今河南郏县，宋属汝州。

⑫阳：与“佯”同，假装。

⑬相抱而杀之曰“格”。

⑭襄城：今河南襄城，宋属汝州。

⑮转运使：官名，掌一路财赋之登记，并岁行所部，检察储积，稽考账簿，及专举刺官吏之事。

⑯渑池：今河南渑池，宋属京西北路河南府。

⑰峭：山名，在河南洛宁北，西北接陕州，东接渑池，有东西二崤，均极峻险。

⑱巡检：官名，宋时沿边溪峒沿江沿海均置之，掌训治甲兵，巡逻州邑，擒捕盗贼，所在听州县守令节制。

⑲授名：谓朝廷疏王伯姓名，授巡检使捕之。

⑳唐制旨自禁中出付中书者，曰“宣”。宣头：宣传诏旨之文书。

㉑谍：伺敌之动静以报。

㉒挺身：挺立其身，状其勇。

㉓传(zhuàn)：传驿之车马也。

㉔木垣曰栅，行军所居。

㉕迹：循其迹。

㉖媪：老妇。

㉗钩：致也。谓钩得其情，使对者不疑，若不问而自知。

㉘部分：部署。

㉙宋制，门通事舍人与阁门祗候，并为阁职，为武臣之清选，比于文臣之馆职。

㉚阀：功状。

㉛宋武臣试弓马艺业出官法，其第一二等，有免短使，升半年或一季名次之例。

㉜兵马监押：官名，掌一路烟火公事，捉捕盗贼之事。

㉝交趾：原为古地名，泛指五岭以南。辖境相当今广东、广西大部和越南的北部、中部。汉平南粤置郡，宋初丁部领父子据之，后为其下黎桓所篡，李公蕴又篡。黎氏，宋封为南平王，传子德政，景祐三年(1036)，其甲峒及谅州、门州、苏茂州、广源州，大发峒丹波县蛮，寇邕州之思陵州、西平州、石西州及诸峒而去，《宋史》作宜州蛮。

獠：西南少数民族。

㉞昭州：今广西平乐；化州：今广东化州，宋属广东西路。

㉟伐：自称其功。

㊱廪：藏米之仓。

㊲铁简：古兵器，无刃而有四棱，方棱似简，故名，后亦作"锏"。

㊳谓口讷。《礼记》谓赵文子，其言若不出诸其口。

㊴卒（cù）：急遽，仓促。

㊵司马迁：字子长，汉人，生于龙门，父谈为太史，迁世其业，李陵降匈奴，迁极言其忠，坐下腐刑，乃金匮石室之书，上起黄帝，下止获麟之岁（汉武帝元狩元年），作《史记》一百三十卷，凡十二纪，十年表，八书，三十世家，七十列传。自古称为良史。

㊶诬：妄，错。

【译文】

桑怿，开封雍丘人。他的兄长桑慥，考取进士而闻名天下。桑怿也考进士，两次都没有考中，游学于汝、颍一带，得到龙城的几顷废田，回家亲自耕种。年成不好，汝州近旁几个县盗贼很多。桑怿禀告县令说："我愿意当耆长，往来其中察访不法之徒。"于是召集乡间少年，告诫他们说："不可为盗！我在这儿，不容许你们偷盗！"少年们都答应了。乡里有一个老人儿子死了还未装殓，盗贼在夜里脱光了他的衣服偷走。老人害怕，又没其他儿子，不敢上告，裸露着儿子的尸体，不能安葬。桑怿听说后很同情他，怀疑是姓王的少年所为，夜里潜入他家，探摸他的箱子，没有让王生发觉。第二天桑怿遇到王生，问道："你答应我不偷盗，现在偷盗乡里老人儿子尸衣的，难道不是你吗？"王生很震惊，桑怿就将王生推倒在地，捆绑起来。审问和他一起盗窃的，王生指出了某姓少年，桑怿召集壮丁看守着王生，又亲自前往抓捕某姓少年，送到县衙，都认罪就刑。

后来又曾到郏城，遇到县尉出来抓捕盗贼，招呼桑怿一起饮酒，于是跟他同行。到了盗贼藏身的地方，县尉害怕，假装不知道经过这里。桑怿说："盗贼在此，为什么不行动？"于是下马，独自一人当场杀死数人，趁机全部捆绑起来。又听闻襄城有十多个强盗，独自一人拿着一把剑去了，杀了几个，其余的都被活捉。汝州近旁诸县因此没有强盗。京西转运使将此事上奏到朝廷，桑怿被任命为郏城县尉。

天圣年间，河南诸县盗贼蜂起，转运使上奏改封桑怿渑池县尉。崤山，自古以来就是险要阻塞之地，广布深山密林，而青灰山尤其险要，被盗贼据此作乱。大盗王伯，在这座山藏身，经常出来为害邻近的几个县。就在这时，王伯大盗之名传到朝廷里，各地巡检都被赐以写着王伯大名的文书，严令抓捕。等到桑怿上任，某位巡检假造宣传诏命的文书给他看，并设计招抚王伯。桑怿相信他，并没有怀疑其中有诈。桑怿侦查到王伯的藏身之所，挺身而出，到群盗中去招抚他，跟王伯睡觉、起床都在一起十多天，然后才出山。巡检反而带兵在山下阻截，桑怿差点不能幸免于难。桑怿说："巡检被上级赐予写着你名字的文书，害怕不能立功而已。"于是把王伯交给巡检，使他自己去报功，不再提自己的功劳。巡检献俘京师，却被朝廷查问到真相，被问罪罢免。

桑怿当了一年多的县尉，改授右班殿直、永安县巡检。明道、景祐年间，天下发生旱灾、蝗灾，盗贼渐次蜂起，其中有大盗二十三人，无法抓捕到。枢密院以传驿之车召桑怿到京城，授予二十三的名册，派他前去抓捕。桑怿谋划道："盗贼畏惧我的名声，必定会溃散，一溃散就更加难以抓捕了，应该先向他们表示我的胆怯。"桑怿到驻地后，关闭军营栅门，命令官兵不得出营，官兵没有一人能随便走出营门。停驻了几天，官兵不知桑怿要干什么，多次请求出战效命，桑怿总是不许。不久，桑怿在夜里和几个士兵一起，换上盗贼衣服，出了军营，追踪盗贼曾经出没的地方。进入百姓家，百姓都逃跑了，只有一个老妇人留下，给他们做饭，如对盗贼一样进食奉养。然后回到军营，继续关闭栅栏三天，又前往老妇那里，携带器具让老妇做饭，而把剩下的都留给老妇，老妇还以为他们是真正的盗贼。于是稍微靠近老妇，跟她讲到群盗的事。老妇说："他们听说桑怿来了，开始很害怕，都逃跑了；后来听说桑怿紧闭营门不出，知道他不足为惧，现在都回来了。某某在某处，某某在某处。"桑怿将情况全部打听到了。又过了三天，又前往，赠送厚礼给老妇，然后以实情告诉她说："我就是桑怿，麻烦老人家给我们查探真实情况，不要泄露出去！三天后，我会再来的。"三天后又前往，老妇已经把情况都探查清楚了。第二天早上，部署士兵，若干全副武装的军士前去某处抓某盗，若干士兵前往某处抓某盗。其中尤其强悍的盗贼在某地，桑怿亲自骑马前去，士兵来不及跟上，只有四个骑兵追随而来，于是跟盗贼相遇，当场格杀三人。总共二十三个盗贼，一天之内全都抓到了。前后只用了二十八天，便回京城汇报情况。

枢密院的官吏对桑怿说："你送我银子，我替你弄个阁职。"桑怿说："用行贿的方法得到官职，不是我愿意做的事，何况我家贫穷，没有银子；即使有，也绝不可能做这种事！"枢密院的官员恼羞成怒，隐瞒桑怿的功劳，以免短使上报给三班。三班按照惯例，给他一个兵马监押的职务。还没去上任，正赶上交趾人叛乱，杀死海上巡检，昭、化等几个州都有警讯，朝廷派去的好几批人都没能平定叛乱。于是派桑怿去平叛，桑怿一到，亲手把叛贼全部杀了。回到京城，朝廷授给他阁门祗候的官职。桑怿说:“这次行动,不单是我一个人的功劳,还有职位在我之上的,我只是他的副手。现在,他留在那里,我回到京城,我得到厚赏,他得到的赏赐却较少,他能不怀疑我掩藏了他的功劳而只顾夸耀自己吗?接受厚赏,只会使我心里惭愧难安。”于是辞让给自己的封赏,并将上奏的折子底稿拿给我看。我对他说:“辞让赏赐,朝廷肯定不允许,白白地被人误认为沽名钓誉、行为狡诈而被讥笑。”桑怿叹息说:“我也这样想,但做官的人只看自己的内心如何,并按照自己的内心行事罢了,受人讥笑又有什么要紧?如果要逃避追求名誉之嫌,那么什么好事都做不了。”听了他的话,我觉得很惭愧。桑怿最终还是辞让厚赏,但朝廷不允许。桑怿虽然参加过进士考试,而学问却不怎么样,但是他的行为举止,都符合书中的道理,类似的情形还有很多。

桑怿当初居住在雍丘时,遭遇大水,有两米仓的粮食,将用船运送,发现那些逃难躲避水患的百姓,就抛弃了粮食,用船载百姓。看到百姓年成不好,就召集乡里人共同供养他们,直到粮食没有了才停止。桑怿擅长使剑和铁锏,力量可抵过几个人,并且很有谋略。遇人时常表现出畏怯的样子,好像力量不够。他长得并不十分高大,也很注重自己的服饰仪表,而说话迟钝,猛然与他相遇,不知他身形矫健并且勇武。

庐陵欧阳修说:“勇敢和力气是很多人都拥有的东西,但是知道如何使用的人却很少。像桑怿,真可谓是仁义勇敢的人了。他学问不深却能做到这样,大概是出于本性吧!我本来就乐于为人作传记事,尤其喜欢司马迁善于作传,可是他所书写的都是伟烈奇节之士,士人喜欢读,想要学习他们的做法,而奇怪现今之人像司马迁所写的那样的人太少了!于是怀疑司马迁只是文笔雄健,善于夸大其说,而古人不一定就是这样。等到了解到桑怿的事迹，才知道古时的人确实就是如此，司马迁的书并没有说假话，知道今人中本来就有，只是未能全都知晓而已。桑怿的所作所为是值得赞赏的，但不知我的文章能不能像司马迁的《史记》那样，让人读后爱不释手？我还是姑且按顺序记下桑怿的事迹吧。”

书

上范司谏书[1]

【题解】

宋仁宗亲政后酝酿着政治改革，起用了范仲淹等一批官员。欧阳修详细论述了谏官在国家政治生活中的重要作用，故殷切期望范仲淹能够直言进谏，积极参与朝政，反映出他改革弊政的迫切心情和对国家的无限忠诚。

【原文】

月日，具官谨斋沐拜书司谏学士执事[2]。前月中得进奏吏报[3]，云自陈州召至阙拜司谏[4]。即欲为一书以贺，多事匆卒[5]未能也。司谏，七品官尔[6]，于执事得之不为喜，而独区区欲一贺者，诚以谏官者，天下之得失，一时之公议系焉。

今世之官，自九卿、百执事[7]，外至一郡县吏，非无贵官大职可以行其道也。然县越其封[8]，郡逾其境，虽贤守长不得行，以其有守也。吏部之官不得理兵部，鸿胪[9]之卿不得理光禄，以其有司也。若天下之得失、生民之利害、社稷之大计，惟所见闻，而不系职司者，独宰相可行之，谏官可言之尔。故士学古怀道者，仕于时，不得为宰相，必为谏官；谏官虽卑，与宰相等。天子曰不可，宰相曰

可;天子曰然,宰相曰不然:坐乎庙堂之上[10],与天子相可否者,宰相也。天子曰是,谏官曰非;天子曰必行,谏官曰必不可行:立殿陛[11]之前,与天子争是非者,谏官也。宰相尊,行其道;谏官卑,行其言;言行,道亦行也。

九卿、百司、郡县之吏,守一职者,任一职之责;宰相、谏官,系天下之事,亦任天下之责。然宰相、九卿而下,失职者受责于有司;谏官之失职也,取讥于君子。有司之法,行乎一时;君子之讥,著之简册[12]而昭明,垂之百世而不泯,甚可惧也!

夫七品之官,任天下之责,惧百世之讥,岂不重邪?非材且贤者,不能为也。近执事始被召于陈州,洛[13]之士大夫相与语曰:"我识范君,知其材也,其来,不为御史,必为谏官。"及命下,果然。则又相与语曰:"我识范君,知其贤也,他日闻有立天子陛下,直辞正色,面争[14]庭论者,非他人,必范君也。"拜命以来,翘首企足[15],伫乎有闻[16],而卒未也。窃惑之,岂洛之士大夫,能料于前,而不能料于后也?将执事有待而为也?

昔韩退之作《争臣论》,以讥阳城[17]不能极谏,卒以谏显。人皆谓城之不谏,盖有待而然,退之不识其意而妄讥,修独以为不然。当退之作论时,城为谏议大夫已五年,后又二年,始庭论陆贽[18],及沮裴延龄作相,欲裂其麻[19],才两事尔。当德宗[20]时,可谓多事矣,授受失宜,叛将强臣,罗列天下[21],又多猜忌,进任小人[22]。于此之时,岂无一事可言,而须七年耶?当时之事,岂无急于沮延龄、论陆贽两事也?谓宜朝拜官而夕奏疏也。幸而城为

谏官七年，适遇延龄、陆贽事，一谏而罢，以塞其责。向使止五年六年，而遂迁司业[23]，是终无一言而去也，何所取哉？

今之居官者，率三岁而一迁，或一二岁，甚者半岁而迁也，此又非更可以待乎七年也。今天子躬亲庶政，化理清明，虽为无事，然自千里诏执事而拜是官者，岂不欲闻正议而乐说[24]言乎？然今未闻有所言说，使天下知朝廷有正士，而彰吾君之明也。夫布衣韦带之士[25]，穷居草茅，坐诵书史，常恨不见用。及用也，又曰彼非我职，不敢言；或曰我位犹卑，不得言；得言矣，又曰我有待，是终无一人言也。可不惜哉！

伏惟执事思天子所以见用之意，惧君子百世之讥，一陈昌言 ，以塞重望，且解洛之士大夫之惑，则幸甚！幸甚！

【注释】

①范司谏：范仲淹，仲淹通判河中府，徙陈州。明道二年(1033)，章献太后崩，召拜右司谏。唐宋以来，称备具官爵履历为具官。

②斋沐：斋戒沐浴，敬词。执事：谓供使令之人，与人书不敢直称其人，而称执事，敬词。

③进奏吏：进奏院之吏。

④陈州：见《张子野墓志铭》“陈郡”注。阙：门观，亦曰象魏，为古时布法之所，为二台于门外，作楼观其上，中央阙以为道，故名。后为天子所居之统称。

⑤匆卒：匆忙。

⑥魏晋以来,始有九品官人之法,宋时九品又分为正从,司谏为正七品。

⑦宋沿旧制,以太常寺、宗正寺、光禄寺、卫尉寺、太仆寺、大理寺、鸿胪寺、司农寺、太府寺为九卿。

⑧封:疆界。

⑨鸿胪:本《周官》大行人之职,秦曰典客,汉改鸿胪,掌赞导相礼之事。鸿,声也;胪,传也。传声赞导,故名。

⑩庙堂:朝廷。

⑪陛:天子之阶。

⑫简册:竹简。古时无纸,书之于竹简上。

⑬洛:洛阳。

⑭争:与“诤”同,谏止。

⑮翘:举也。企:与“跂”通,抬脚后腿而望。

⑯伫:久立而待。

⑰阳城:字亢宗,定州北平人,后徙夏县,隐居中条山。唐德宗贞元四年(789),征为谏议大夫,后以论陆贽、裴延龄事,改国子司业,又以事贬道州刺史。

⑱陆贽:字敬舆,嘉兴人。德宗时,为翰林学士,从幸奉天,诏书多出其手,诵者虽武夫悍卒,皆感泣思奋。累迁中书侍郎,同平章事,为裴延龄所谗,贬忠州别驾,卒谥宣,著有《奏议》《翰苑文集》。

⑲麻:麻纸。唐中书用黄白二麻为纶命,后翰林专掌白麻。时延龄以司农少卿判度支事,贽屡言其诞妄,上不悦,延龄因谮贽怨望,贽坐贬。城帅谏官王仲舒、熊执易、崔邠等,守延英门上疏论救,上大怒,欲罪之,太子为营救乃解。且相延龄,城曰:“脱相延龄,当取白麻坏之,动哭于廷。”

⑳德宗：名适，代宗子，在位二十六年卒，传子顺宗。

㉑时藩镇专权，节度使程日华、张孝忠、刘元佐、李纳等卒，其子即自称留后，朝廷因以授之。

㉒指以窦参同平章事事。

㉓司业：官名，古为典乐之官，乐官兼教国子，故隋唐遂用其名，以贰国子监祭酒。

㉔谠：直言。

㉕韦：革之柔者。布衣韦带：贫贱者之服。

㉖昌言：正当之言。

【译文】

某月某日，具官欧阳修斋戒沐浴，恭敬地上书司谏学士阁下。上月中旬，看到进奏院的吏报说，您从陈州被召到京城担任司谏。我当时就想写一封信来道贺，事多匆忙，未能如愿。司谏，只是七品官，对于您来说，担任这个官职不算喜事，可是唯独区区在下想道贺一番，实是因为谏官一职，天下的得失、一时的公正议论都牵系于此。

当今的官吏，自九卿、百官，外到郡县地方的官员，不是高官要职没有可以按照自己的主张行事的。但是县令跨越一县的疆域，郡守跨域一郡的领地，即使是贤良的郡守县令也不能够这样行事，因为他们有自己的职守。吏部的官员不能理政刑部，鸿胪寺卿不能理政光禄寺，因为他们有自己所管理的部门。如果是关系天下的得失、百姓的利害的社稷大计，随时觐见奏闻，而不具体到某个职官衙门的，只有宰相可以行事，谏官可以进言。所以士人学习研究古代典籍，胸怀治道，出仕当代，不能够担任宰相，必定会担任谏官；谏官虽然职位卑微，但是责任与宰相相等。天子说不可以，宰相说可以；天子说是这样，宰相说不是这样：端坐朝堂之上，与天子相互可否的，就是宰相。天子说是对的，谏官说是错的；天子说一定要实行，谏官说一定不能执行：站立在御座台阶下，与天子争论是非的，就是谏官。宰相尊贵，具体实施；谏官卑微，进言劝谏；谏言被实施，大道就实现了。

九卿、百官、郡县的官吏，担任一定的官职，就守护一定的职责；宰相、谏官，关系着天下大事，也担负着天下的重任。但是宰相、九卿之下，失职的官员被相关部门责罚；谏官失职，被君子讥笑。国家的法律，在一个时代实行；君子的讥刺，写在史书上而显著明白，历经百代而不会泯灭，真是值得忧惧啊！

七品的职官，担负天下的重责，忧惧百世的讥刺，难道不重要吗？不是有才能而且贤良的人，不能够担任。最近您被从陈州被召，洛阳的士大夫相互说："我了解范君，知道他的才能，他这回来，不是担任御史，必定会担任谏官。"等到诏命下来，果如其言。然后又相互说："我了解范君，知道他贤良，哪天听说有人站立在天子面前，义正辞严，神色庄重，当面劝谏、当庭谏诤的，不是其他人，必定是范君。"您接受任命以来，我抬着头踮着脚，长久地站立着想听到您的谏言，而最终还是没有听到。我私下里感到困惑，难道洛阳的士大夫能够预料到前面，却没料想到后面吗？还是您有所期待才进谏呢？

从前韩愈写《诤臣论》，来讽刺阳城不能尽力进谏，后来阳城因为敢于进谏而闻名。人们都说阳城开始不进谏，是因为有所期待才那样做的，退之不知道他的用意而妄加批评；我却认为这样说是不对的。当退之发出这样的议论时，阳城担任谏议大夫已经五年了，在这之后两年，才开始在朝廷上为陆贽辩论，以及为阻止裴延龄担任宰相，想撕裂用麻纸写的诏书，只不过就这两件事罢了。当时德宗在位，国家多事，诸如用人不当，叛逆的将领和跋扈的权臣，遍及天下，天子又多方猜忌，任用奸诈小人。在当时，难道没有一件事可以进谏，而要等上七年吗？当时的事，难道没有比阻止裴延龄为相、为陆贽辩护这两件事更急迫的吗？我认为身为谏官，就应该早晨领命而晚上呈奏。幸而阳城做谏官七年，恰巧遇到裴延龄、陆贽的事，只进谏一次就被罢官，也算聊以塞责罢了。假如任司谏只五年六年，然后就调任国子司业，自始至终没有进谏过就离职了，那还有什么可称道的呢？

现在的官员，大概三年就调动一次，或者一两年，甚至半年就调动一次，这就不能再等待七年了。当今天子亲自处理朝政，天下太平，政治清明，虽然没有什么事端发生，然而把您从迢迢千里之外召到朝廷而任用您这个官职，难道不是为了听到公正的言论，喜欢听到正直的言辞吗？然而到现在还没有听到您对朝廷有所进言，以让天下的人知道朝廷有正义之士，而彰显天子的圣明。贫寒穷苦的读书人，困厄地居住在茅草屋里，坐着诵读经书史籍，常常抱怨自己不被朝廷重用。等到被任用，又说那不是我的职责，不敢进言；或者说我地位卑微，不能进言；可以进言了，又说我可以再等等，到最后也没有一个人进言。难道不值得痛惜吗！

希望您想想天子任用您的本意，警惕君子百代的讥刺，大胆陈述正当的言论，以满足众人的期望，而消除洛阳士大夫们的疑惑，那真是太荣幸了！太荣幸了！

与高司谏书[1]

【题解】

欧阳修对范仲淹的被贬和高司谏的落井下石愤愤不平，于是写下本文，直接戳穿高司谏虚伪谄媚的面皮和丑陋卑劣的行径，字里行间透出欧阳修嫉恶如仇的精神，体现了了他光明磊落、中正耿直的气度。

【原文】

修顿首再拜，白司谏足下：某年十七时，家随州，见天圣二年进士及第榜[2]，始识足下姓名。是时予年少，未与人接，又居远方，但闻今宋舍人兄弟与叶道卿、郑天休数人者[3]，以文学大有名，号称得人。而足下厕[4]其间，独无卓卓可道说者，予固疑足下不知何如人也。

其后更十一年，予再至京师，足下已为御史里行，然犹未暇一识足下之面。但时时于予友尹师鲁问足下之贤否，而师鲁说足下正直有学问，君子人也。予犹疑之。夫正直者，不可屈曲；有学问者，必能辨是非。以不可屈之节，有能辨是非之明，又为言事之官，而俯仰默默，无异众人，是果贤者耶？此不得使予之不疑也。

自足下为谏官来，始得相识。侃然[5]正色，论前世事，历历[6]可听，褒贬是非，无一谬说。噫！持此辩以示人，孰不爱之？虽予亦疑足下真君子也。是予闻足下之

名及相识，凡十有四年，而三疑之。今者推其实迹而较之，然后决知足下非君子也。

前日范希文贬官后，与足下相见于安道家[7]，足下诋诮希文为人[8]。予始闻之，疑是戏言；及见师鲁，亦说足下深非希文所为，然后其疑遂决。希文平生刚正，好学，通古今，其立朝有本末[9]，天下所共知，今又以言事触宰相得罪。足下既不能为辨其非辜[10]，又畏有识者之责己，遂随而诋之，以为当黜[11]，是可怪也！

夫人之性，刚果懦软，禀[12]之于天，不可勉强。虽圣人亦不以不能，责人之必能。今足下家有老母，身惜官位，惧饥寒而顾利禄，不敢一忤宰相以近刑祸。此乃庸人之常情，不过作一不才谏官尔。虽朝廷君子，亦将闵[13]足下之不能，而不责以必能也。今乃不然，反昂然自得，了[14]无愧畏，便毁其贤，以为当黜，庶乎饰己不言之过。夫力所不敢为，乃愚者之不逮；以智文[15]其过，此君子之贼也。

且希文果不贤邪？自三四年来，从大理寺丞至前行[16]员外郎，作待制日，日备顾问，今班行中无与比者[17]。是天子骤用不贤之人？夫使天子待不贤以为贤，是聪明有所未尽。足下身为司谏，乃耳目之官，当其骤用时，何不一为天子辨其不贤？反默默无一语，待其自败，然后随而非之。若果贤邪？则今日天子与宰相，以忤意逐贤人，足下不得不言。是则足下以希文为贤，亦不免责；以为不贤，亦不免责，大抵[18]罪在默默尔。

昔汉杀萧望之与王章[19]，计其当时之议，必不肯明言杀贤者也，必以石显、王凤为忠臣[20]，望之与章为不贤而被罪也。今足下视石显、王凤果忠邪？望之与章果不贤邪？当时亦有谏臣，必不肯自言畏祸而不谏，亦必曰当诛而不足谏也。今足下视之，果当诛耶？是直可欺当世之人，而不可欺后世也。今足下又欲欺今人，而不惧后世之不可欺邪？况今之人未可欺也。

伏以今皇帝即位已来，进用谏臣，容纳言论，如曹修古、刘越[21]，虽殁犹被褒称。今希文与孔道辅，皆自谏诤擢用。足下幸生此时，遇纳谏之圣主如此，犹不敢一言，何也？前日又闻御史台牓朝堂，戒百官不得越职言事，是可言者，惟谏臣尔。若足下又遂不言，是天下无得言者也。足下在其位而不言，便当去之，无妨他人之堪其任者也。

昨日安道贬官，师鲁待罪，足下犹能以面目见士大夫，出入朝中称谏官，是足下不复知人间有羞耻事尔！所可惜者，圣朝有事，谏官不言而使他人言之，书在史册，他日为朝廷羞者，足下也。

《春秋》之法，责贤者备[22]。今某区区，犹望足下之能一言者，不忍便绝足下，而不以贤者责也。若犹以谓希文不贤而当逐，则予今所言如此，乃是朋邪之人尔。愿足下直携此书于朝，使正予罪而诛之，使天下皆释然知希文之当逐，亦谏臣之一效也。

前日足下在安道家，召予往论希文之事。时坐有他客，不能尽所怀，故辄布区区，伏惟幸察。不宣。修再拜。

【注释】

①高司谏：名若讷，字敏之，并州榆次人。徙卫州。仁宗时，官右司谏，后以工部侍郎参知政事，为枢密使，卒谥文庄。

②牓：与“榜”通。天圣二年（1024）进士榜，宋庠一，叶清臣二，郑戬三，高若讷四，曾公亮五，宋祁十。

③宋舍人兄弟：庠、祁。庠：见《张子野墓志铭》注，初同修起居，故称舍人；祁：字子京，举进士，礼部奏第一，庠第三，太后谓不可以弟先兄，擢庠第一，寘祁第十，官翰林学士，史馆修撰。修《唐书》成，进工部尚书，卒谥景文。叶道卿：名清臣，苏州长州人。累官翰林学士，权三司使，出知河阳卒。郑天休：名戬，苏州吴县人，累官枢密副使，陕西四路都总管兼经略安抚招讨使，拜奉国军节度使，卒谥文肃。

④厕：置身。

⑤侃然：刚直貌。

⑥历历：分明。

⑦安道：余靖字，韶州曲江人。官集贤校理，坐论救仲淹，贬监筠州酒税，后官至工部尚书，卒谥襄。

⑧诋：侮蔑。

⑨言临事知本末重轻。

⑩辜：罪。

⑪黜：贬斥。

⑫禀：受。

⑬闵：与“悯”同。

⑭了：终。

⑮文：掩饰。《论语·子张》：“小人之过也必文。”

⑯行:历官。

⑰班行:班次行列。

⑱大抵:大概。

⑲萧望之:字长倩,汉东海兰陵人。徙杜陵,官太子太傅,前将军。元帝初,受宣帝遗诏辅政,领尚书事,为宦者弘恭、石显所谮,下狱,饮鸩自杀。王章:字仲卿,泰山钜平人。成帝时,为京兆尹,因日食上封事言王凤三大罪,凤使尚书劾章下狱,杀之。

⑳石显:济南人,初为仆射,元帝即位,委以政事,官中书令。成帝立,以罪免归道死。王凤:成帝之舅,官大司马大将军领尚书事,阳朔三年(前22)卒。

㉑曹修古:字述之,建州建安人。累官殿中侍御史,刑部员外郎,以论太后兄子刘从德事,贬知兴化军卒。太后崩,仁宗思其忠,特赠右谏议大夫,赐其家钱二十万。刘越:《宋史》作刘随,字仲豫,开封考城人。累官右司谏,以言事忤太后改外,复官至天章阁待制。临事明决,人号为水晶灯笼。卒,帝怜其家贫,赐钱六十万。

㉒《新唐书·太宗纪赞》:"春秋之法,常责备于贤者。"谓求其全备。

【译文】

欧阳修顿首再拜,禀告高司谏足下:我十七岁时,住在随州,看到天圣二年进士及第的布告,才知道您的姓名。当时我年轻,尚未与人结交,又住在僻远的地方,只听说布告上的宋舍人兄弟与叶道卿、郑天休等几个人,因文学闻名于世,因此这次科举号称得到了人才。而足下置身其中,独独没有什么特别值得称道的地方,我因此就疑惑您是怎样的一个人。

以后过了十一年,我再次来到京师,您已经担任了御史里行,可还是没有机会与您见一次面。只是常常向我的朋友尹师鲁打听您的贤与不贤,师鲁说您为人正直并且有学问,是一位君子。我还是有些怀疑。所谓正直,就是不可弯曲;所谓有学问,就一定能明辨是非。凭借着不可弯曲的气节,有能辨别是非的明智,又担任谏官的职务,然而一举一动默默无言,与一般人没有什么区别,这果真是贤者吗?这不能使我不怀疑啊!

自从您担任了谏官,才得以相识。您看上去刚强正直,一脸正气,纵论前代之事,思路分明而值得一听,褒扬正义,贬斥奸邪,没有一点谬论。啊!依靠这样的辩才向人展示,谁会不爱戴您呢?即使是我,也怀疑您是个真正的君子。这是我从听说您的大名到与您相识,总共十四年,却三次怀疑您。如今推究您的实际行为而仔细分析,然后断定您肯定不是个君子。

前几天范希文贬官以后,我和您在安道家中会面,您极力诋毁讥笑范希文的为人。我开始听到这些话,怀疑只是戏言而已。等到碰见师鲁,他也说您极力非议希文的所作所为,然后我就不再怀疑了。希文平生刚正,好学,博古通今,他立身朝廷始终如一,这是天下人所共知的,如今又因为正直敢言触怒了宰相而得罪。您既不能为他辨明无罪,又害怕有识之士会责备自己,于是就随波逐流来诋毁他,认为他应当受到贬斥,这真是太奇怪了!

人的性格,刚正果敢、怯懦软弱,都受之于天,不可勉强改变。即使是圣人也不会用自己办不到的事情,去要求别人一定办到。如今您家中有老母,自身爱惜官位,害怕忍饥受冻而顾念俸禄,因而不敢稍有违逆宰相以致受刑遭祸。这是平庸之辈的常情,只不过是做了一个不称职的谏官罢了。即使是朝廷中的君子,也将怜悯你的无能,而不会用必须办到来要求您。如今却不是这样,您反而昂首挺胸十分自得，没有一丝羞愧畏惧，随意诋毁希文的贤能，认为他应当遭受贬斥，恐怕是希望以此掩饰自己不能据理力争的过错吧。有能力而不敢有所作为，那只是愚笨之人做不到罢了；用小聪明来掩饰自己的过错，那就成了君子的敌人了。

况且希文果真不贤吗？三四年以来，从大理寺丞升任员外郎，他在做待制的时候，每天备作皇帝的顾问，如今同僚中没有能与他相比的。这难道是天子仓促起用不贤之人吗？假使天子把不贤之人当作贤人，那是聪明之中的疏忽。您身为司谏，是天子的耳目，当希文被仓促起用之时，为什么不马上为天子辨明他的不贤？反而默默地不讲一句话，等到他失势了，然后跟着别人说他的不是。如果希文果真是贤人，那么如今天子和宰相因为他违逆了自己的心意而斥逐贤人，您就不得不上言进谏。那么您认为希文贤，也不免遭受责备；认为希文不贤，也不免遭受责备，大概您的过错就在于默默无言罢了。

从前汉朝杀害萧望之和王章，估计当时朝廷中的议论，必然不肯明确说是杀了贤者，必然把石显、王凤说成是忠臣，而萧望之和王章作为不贤之人而遭受罪罚。如今您真把石显、王凤视为忠臣吗？萧望之与王章真的不贤吗？当时也有谏官，他们必定不肯承认是害怕招来祸患而不进谏，也必定会说萧望之、王章应该被杀而不值得进谏。如今您看，他们真的该杀吗？那是只可欺骗当时之人，而不能欺骗后世。如今您又想欺骗当世之人，就不怕后世之人不可欺骗吗？何况现在的人也未必就能欺骗啊。

我恭敬地以为当今皇帝即位以来，进用谏官，采纳谏言，像曹修古、刘越，虽然已经去世，还被人们称扬。如今希文与孔道辅，都由于敢于进谏而被提拔任用。您幸运地生于此时，碰到能够如此纳谏的圣主，尚且不敢说一句话，为什么呢？前几天又听说御史台在朝廷中贴出布告，告诫百官不可超越本职谈论政事，这样能够提意见的，只有谏官了。假如您又不进言，那么天下就没有可以进言的人了。您在谏官那个位置上却不进谏，就应该离职，不要妨碍胜任谏官之职的人。

昨天安道遭到贬谪，师鲁也等候罪责，您还有脸面去见士大夫，出入朝廷，号称谏官，那就是您不再知道人间还有羞耻之事了！可惜的是，圣朝有事，谏官不进谏而让别人上言，这种事情记载在史书上，他日使朝廷蒙受羞辱的，是您啊！

按照《春秋》的法则，对贤者要求详尽周全。如今区区在下，还希冀您能够向天子进一言，不忍心就此与您决绝，而不拿贤者来要求您。倘若您还认为希文不贤而应当斥逐，那么我今天如此为他说话，那是朋党奸邪小人了。希望您直接带着这封信到朝廷上去，判定我的罪过而杀了我，使天下之人都真正知道希文应当被斥逐，这也是谏官的一大作用啊。

前几天您在安道家中，把我叫过去议论希文的事情。当时有其他客人在，不能够畅所欲言，因此就写了区区此信，恭敬地希望您能明察。不多言了。欧阳修再拜。

与尹师鲁书

【题解】

本文详尽地叙述了欧阳修离京赴贬所的情景以及对朋友的挂念，恳谈了自己对被贬一事的态度，一是不后悔自己切责高司谏的行为，二是劝勉尹师鲁不要悲观，勇对逆境。语气舒缓从容，笔触处处生情，委婉动听，表达了欧阳修对朋友的一片深情和旷达乐观、坚持正道而始终不渝的精神。

【原文】

某顿首：师鲁十二兄书记①，前在京师相别时，约使人如河上。既受命，便遣白头奴②出城，而还言不见舟矣。其夕，及得师鲁手简，乃知留船以待，怪不如约，方悟此奴懒去而见绐③。

临行，台吏催苛百端，不比催师鲁人长者有礼，使人惶迫不知所为。是以又不留下书在京师，但深托君贶④因书道修意以西。始谋陆赴夷陵，以大暑，又无马，乃作此行。沿汴⑤，绝⑥淮，泛大江，凡五千里，用一百一十程⑦，才至荆南。在路无附书处，不知君贶曾作书道修意否？及来此，问荆人，云去郢止两程，方喜得书以奉问。又见家兄⑧，言有人见师鲁过襄州⑨，计今在郢久矣。师鲁欢戚⑩不问可知，所渴欲问者⑪：别后安否？及家人处之如何？莫苦相尤否⑫？六郎⑬旧疾平否？

修行虽久，然江湖皆昔所游，往往有亲旧留连，又不遇恶风水。老母用术者言，果以此行为幸。又闻夷陵多米、面、鱼，如京洛，又有梨、栗、橘、柚、大笋、茶、荈[14]，皆可饮食，益相喜贺。昨日因参转运，作庭趋[15]，始觉身是县令矣，其余皆如昔时。

师鲁简中言，疑修有自疑之意者，非他，盖惧责人太深以取直尔。今而思之，自决不复疑也。然师鲁又云闇于朋友[16]，此似未知修心。当与高书时，盖已知其非君子，发于极愤而切责之，非以朋友待之也。其所为何足惊骇？路中来，颇有人以罪出不测见吊者，此皆不知修心也。师鲁又云非忘亲，此又非也。得罪虽死，不为忘亲，此事须相见，可尽其说也。

五六十年来，天生此辈，沉默畏慎，布在世间，相师成风。忽见吾辈作此事，下至灶间老婢，亦相惊怪，交口议之。不知此事古人日日有也，但问所言当否而已。又有深相赏叹者，此亦是不惯见事人也。可嗟世人不见如往时事久矣！往时砧斧鼎镬[17]，皆是烹斩人之物，然士有死不失义，则趋而就之，与几席枕藉之无异。有义君子在旁，见其就死，知其当然，亦不甚叹赏也。史册之所以书之者，盖特欲警后世愚懦者，使知事有当然而不得避尔，非以为奇事而诧[18]人也。幸今世用刑至仁慈，无此物，使有，而一人就之，不知作何等怪骇也。然吾辈亦自当绝口，不可及前事也。居闲僻处，日知进道而已，此事不须言。然师鲁以修有自疑之言，要知修处之如何，故略道也。

安道与予在楚州[19]，谈祸福事甚详，安道亦以为然。俟到夷陵写去，然后得知修所以处之之心也。又常与安道言，每见前世有名人，当论事时，感激不避诛死，真若知义者；及到贬所，则戚戚怨嗟[20]，有不堪之穷愁，形于文字，其心欢戚，无异庸人，虽韩文公不免此累[21]。用此戒安道，慎勿作戚戚之文。师鲁察修此语，则处之之心，又可知矣。

近世人因言事亦有被贬者，然亦傲逸狂醉，自言我为大不为小[22]。故师鲁相别，自言益慎职，无饮酒，修今亦遵此语。咽喉自出京愈矣，至今不曾饮酒。到县后，勤官，以惩洛中时懒慢矣。

夷陵有一路，只数日可至郢，白头奴足以往来。秋寒矣，千万保重。不宣[23]。修顿首。

【注释】

①书记：谓掌书牍奏记之人，不斥其人而称书记，敬词。

②白头奴：老奴。

③绐：欺诳。

④君贶：王拱辰字，开封咸平人。仁宗时，累官御史中丞，至吏部尚书；神宗时，官武安军节度使；哲宗立，徙彰德，卒，谥懿恪。

⑤汴：河名，故道由今河南开封北境，至商丘，东南流经安徽入淮。久淤废，惟泗县尚有汴水断渠存。

⑥绝：横流而渡。

⑦程：犹言站。

⑧家兄：修兄，名昞。

⑨襄州：即襄阳府，见《岘山亭记》注。

⑩戚：忧愁。

⑪濶：急。

⑫尤：怨也。

⑬六郎：当系师鲁之子。

⑭荈(chuǎn)：晚茶。

⑮庭趋：亦曰庭参，属吏初谒长官，北面跪拜，长官坐受之仪。

⑯闇：与“暗”通。

⑰砧斧：戮人之具；砧，木质以受斫者。鼎镬：烹人之具；镬，鼎大而无足者。

⑱诧：惊讶。

⑲楚州：今江苏淮安，宋属淮南东路。

⑳戚戚：心忧貌。

㉑韩文公：韩愈，指贬阳山令及潮州刺史时诗文而言。

㉒言以大事自负而不拘小节。

㉓不宣：言犹不尽。汉初诸侯王上疏，末云：“大王功德，著于后世，不宣，昧死再拜。”宋人书问，尊与卑曰不具，卑上尊曰不备，朋友交驰曰不宣，见《东轩笔录》。

【译文】

欧阳修顿首：师鲁十二兄书记，前不久在京城分别的时候，约定派人到河边送行。既然接受了你的嘱托，就派一个老仆人出城相送，他回来却说没有看见你的舟楫。那一晚，等我看到你亲手写的便条，才知道你泊船等我，怪罪我没有派人赴约，这才明白老仆懒得前去而欺骗了我。

临走之前,差役百般催促,不如催促你的那些人那般宽厚有礼,让我惶恐着急而不知如何是好。因此不曾在京师给你留下书信,只能重托君贶在给你写信时顺便提及我的情况,接着便西行了。本来打算从陆路赴夷陵,因为太热,又没有马匹,才从水路走。我顺着汴河,再横渡淮河,泛舟长江,总计五千里,用时一百一十天,才到达荆南。路途中没有可以寄信的地方,不知道君贶可曾在信中说了我的意思没有?等到了荆南,向当地人询问,说距离郢只有两天的路程,这才高兴地写信问候你。途中碰见了我的兄长,听他说有人看见你已经过了襄州,算起来现在到达郢已经很久了。师鲁你的忧乐不问便知,我所急于问候的是:别后是否平安?与家人相处怎么样?家人不会十分埋怨你吧?六郎的旧病好了没有?

我虽然在路上走了很久,可是天下到处都有我以前的旧交,常常被亲朋故旧挽留而不忍离去,一路上也没有遇到大风大浪。我的母亲引用算命先生的话说,一路行来果然大吉利。又听说夷陵盛产米、面、鱼,与开封、洛阳的一样,还盛产梨、栗、橘、柚、笋、茶等,这些都值得品尝,就更高兴地互相道贺了。昨天因为参拜转运使,要行跪拜之礼,方觉得自己确实被贬为县令了,其他都和往常一样。

在你的来信中,担心我对自己的行为有些怀疑,没有别的,唯一担心的是我责怪别人太过以博取忠直的名声。现在想清楚了,不再怀疑自己的所作所为。你又说我对朋友了解不深,这可就不了解我了。当初给高云讷写信时,我已经深知他不是一个君子,因为气愤太过才深切地指责了他,决不是把他当作朋友来对待的。他后来的所作所为又有什么值得惊讶的呢?一路上,颇有一些人对我获罪感到意外而劝慰我,这也都是不了解我的心思啊。你又说我此举并非不孝,这又不对了。即使获罪而死,也不是不孝,这件事还需见面之后,再详尽地恳谈了。

五六十年以来,上天造就了这么一批人,沉默不言,小心谨慎,这帮人遍布全国,互相模仿形成风气。忽然看到我们做出这样的事情,以至连做饭的老太婆,也会大吃一惊,大加议论。孰不知直言进谏的事情古人天天在做,只是谈及他们时说的也不过是对与不对罢了。现在还有人对这种行为真诚地大加赞叹,这又是他们见识不多。可叹世人已经很久不曾见这样的事情了!过去砧斧、鼎镬之类的刑具,都是杀人的器物,那些正直敢言的人宁死也不牺牲道义,就上前去承受这些东西,就跟去赴宴、睡觉没有什么两样。坚持正义的人在旁边看到有人慷慨就义,知道这是应该做的,并不十分惊讶感叹。史书上之所以记载他们,大概是特意警戒后世那些愚昧怯弱的人,使人知道这些事应该承担而不能逃避,并不是要把这种事当作让人诧异的奇闻。庆幸的是如今刑罚极为仁慈,不在用这样的刑具,假如仍然用这样的刑具,某个人触犯了,不知世人将会怎样的惊骇啊。那样,只怕我们这些人也自然会缄口,再也不谈以往的事了。住在清静偏僻的地方,每天注意加强自身的道德修养,这些事本来是不必说的。不过你信中认为我对自己的行为有所怀疑,想了解我对于这次贬官的态度,所以粗略地说说。

安道和我都在楚州,对祸福之事也谈了很多,安道也认为我们这次的举动是对的。等你收到我从夷陵写来的书信,你就会了解我对待这件事的态度了。我常常对安道说,每当看到前代某些有名的人物,他们讨论政事得失时,慷慨激昂不怕杀头,真是深知大义的人啊;可一到贬谪的地方,却开始悲伤怨悔,那种不能忍受的失意忧虑情绪,便表现在文章中,他们的内心的喜乐哀伤,竟和普通人没什么两样,即使是像韩愈这样的人物也不免有这样的毛病。我据此来告诫安道,叫他切莫写悲伤忧愁的文章。你考虑一下我说的这些话,那么我这件事的态度,就明白显著了。

近代也有人因为直言进谏而被贬官，可是有人孤傲放纵，沉迷酒色，还说以大事自负而不拘小节。所以你与我相别时，告诫我要勤俭尽职，不要酗酒，我也遵循你的话。我的咽喉从离开京城后就痊愈了，到现在也没有喝过酒。到了夷陵县后，勤于政事，改掉了在洛阳时懒散的作风。

夷陵有一条路，只须几天就可以到达郢，老仆也能往来其间。秋天天气转凉，一定要保重身体。言不尽意。欧阳修顿首。

祭文

祭尹师鲁文

【题解】

本篇祭文高度赞扬了尹师鲁卓越的学识和高尚的道德修养，对他的不为世容、终身困顿悲愤不平而扼腕长叹，表达了对亡友的景仰和怀念之情。全篇短句为多，哀音促节；感情真挚饱满，深入肺腑。

【原文】

维年月日，具官欧阳修谨以清酌庶羞之奠[①]，祭于亡友师鲁十二兄之灵曰：

嗟呼师鲁！辩足以穷万物，而不能当一狱吏[②]；志可以挟四海，而无所措[③]其一身。穷山之崖，野水之滨，猿猱[④]之窟，麋鹿之群，犹不容于其间兮，遂即[⑤]万鬼而为邻。

嗟呼师鲁！世之恶子之多，未必若爱子者之众，何其穷而至此兮！得非命在乎天，而不在乎人？

方其奔颠斥逐，困厄艰屯，举世皆冤，而语言未尝以自及[⑥]，以穷至死，而妻子不见其悲欣。用舍进退，屈伸语默。夫何能然，乃学之力。至其握手为诀[⑦]，隐几[⑧]待终，颜色不变，笑言从容；死生之间，既已能通于性命，忧患之至，宜其不累于心胸。自子云逝，善人宜哀；子能自

达，予又何悲！惟其师友之益，平生之旧，情之难忘，言不可究[9]。

嗟呼师鲁！自古有死，皆归无物，惟圣与贤，虽埋不没，尤于文章，焯若星日。子之所为，后世师法。虽嗣子尚幼，未足以付予，而世人藏之，庶可无于坠失。子于众人，最爱予文，寓辞千里，侑此一尊，冀以慰子，闻乎不闻？尚飨！

【注释】

①《礼记·曲礼下》："酒曰清酌。"庶羞，众味也，见《史记》。奠，荐也。

②谓御史刘湜，文致其罪，详《尹师鲁墓志铭》注。

③措，置也。

④猱，猿属，善升木。

⑤即，就也。

⑥言不自辩白也。

⑦诀，别也。

⑧隐，倚也，《孟子·公孙丑下》："隐几而卧。"

⑨究，穷也。

⑩焯，与"灼"同，明也。

⑪ 侑，劝也。

【译文】

某年某月某日，具官欧阳修，恭敬地准备清醇美酒、美味佳肴作为祭品，祭奠我的亡友尹师鲁十二兄在天之灵：

哎呀，师鲁！你的辩才足以穷究万物，然而却不能抵挡一个狱卒；志向远大使得四海都相形见绌，然而却不能使自己获得一块安身之地。深山的悬崖，荒野的河流岸边，猿猴猩猩的洞穴，成群的麋鹿，都不能够容身其间，于是只好与万鬼为邻伍。

哎呀，师鲁！世上厌恶你的人之多，未必就有爱你的人那样多，为什么你竟然穷途末路到如此地步啊！难道命运真的是在天而不在人吗？

当你被贬斥放逐，奔走颠簸，艰难困苦，举世之人都为你鸣冤，而你自己却从未为自己辩白，直到走投无路而死，而你的妻子也从未见你为自身的命运而悲哀或欣喜。对于受重用与否，出仕退隐，议论纷纷或是保持沉默，都能恰如其分。何以如此呢？这都是因为你的学问所产生的力量。至于你握手与朋友诀别，凭几以待自己生命的终结，颜色不变，说笑从容；你在生死问题上，既然已通达性命之真意，因此当忧患来临时，自己的心胸能不为所动。自从你死后，一切善良的人自然都感到悲哀；你自己对待死亡是那样达观，我又有什么可悲痛的呢！只是亦师亦友的教益，我们平生的友谊，在情感上始终难以忘怀，真是用任何言语都难以穷尽的。

哎呀，师鲁！自古以来，人皆有一死，终归于无物。唯有圣人和贤者，虽被埋葬而不会湮没无闻，尤其是他们的文章，光辉灿烂如同日月星辰。你的所作所为，足以为后人所师法。虽然你的儿子尚且年幼，你的文章著作还不能够托付给他们，但是世人会为你收藏的，终不至于散失。在众人中，你是最爱读我文章的，因此我不远千里以这些言辞寄托我的思念，劝酒一杯，希望对你有所安慰，你听没听到呢？尚飨！

祭苏子美文

【题解】

本篇祭文概述苏舜钦短暂而坎坷的一生，盛赞他的为人和文章，对他的怀才不遇、无辜被贬而沦落至死悲愤不平而惋惜不已，表达了对亡友的沉痛哀悼之情。

【原文】

维年月日，具官欧阳修，谨以清酌庶羞之奠，致祭于亡友湖州长史苏君子美之灵曰：

哀哀子美！命止斯邪？小人之幸[①]，君子之嗟。

子之心胸，蟠[②]屈龙蛇，风云变化，雨雹交加，忽然挥斧，霹雳轰车[③]。人有遭之，心惊胆落，震仆如麻。须臾霁止，而回顾百里，山川草木，开发萌芽。子于文章，雄豪放肆，有如此者，吁可怪耶！

嗟乎世人，知此而已！贪悦其外，不窥其内。欲知子心，穷达之际。金石虽坚，尚可破坏；子于穷达，始终仁义。惟人不知，乃穷至此。蕴而不见，遂以没地。独留文章，照耀后世。

嗟世之愚，掩抑毁伤，譬如磨鉴[④]，不灭愈光。一世之短，万世之长，其间得失，不待较量。哀哀子美，来举予觞！尚飨！

【注释】

①谓御史中丞王拱辰,劾斥子美,喜曰:“吾一网尽之矣。”

②蟠:屈曲。

③霹雳:雷之疾击者。轰:群车声。

④鉴:镜。

【译文】

某年某月某日,具官欧阳修,恭敬地准备清醇美酒、美味佳肴作为祭品,祭奠我的亡友湖州长史苏君子美在天之灵:

我可怜的子美啊!难道你的命运就该是这样吗?小人感到庆幸,君子叹息不已。

你的心胸,好像盘踞着龙蛇,引起风云变化,致使大雨冰雹交加而至;又好像忽然挥动斧头,疾雷霹雳,战车轰然作响。不论谁遇到了,都会为之心惊胆战,被震撼得倒伏如满地的乱麻。倏忽云开雨止,回头一望,百里之内,山川草木开始萌芽。你的文章,雄健豪放,如汪洋恣肆,就像这样令人惊奇!

可叹世人,对你的了解仅此而已!贪图歆慕你的外在,并不能窥见你的内心。想要了解你的内心,还要看你的失意与显贵。金石虽然坚固,还是能够被毁坏;你对于失意和显贵,始终以仁义处之。只是人们不知道,所以你才穷途末路如此。你将自己隐藏而不使显扬,就这样长眠在此地。唯独留下的文章,光耀后世。

可叹世人愚蠢啊,将你埋没毁伤。就像磨镜子一样,镜子不会磨坏而愈磨愈光亮。一世何其短暂,万世多么绵长,以此来论得论失,还须计较什么呢!可怜的子美啊,举起我给你斟满酒的酒杯!尚飨!

祭资政范公文

【题解】

欧阳修是范仲淹庆历新政的积极支持者。本篇祭文歌颂了范仲淹坚持正道的高尚品德,对庆历新政的失败和范仲淹的逝世无限悲愤,对保守派的诬陷打击进行了无情揭露和声讨。爱憎分明,情真意切;庄重典雅,格调高昂,有很强的感染力。

【原文】

月日,庐陵欧阳修,谨以清酌庶羞之奠,致祭于故资政殿学士、尚书户部侍郎范文正公之灵曰:

呜呼公乎!学古居今,持方入圆①,丘、轲之艰②,其道则然。

公曰彼恶,公为好讦③;公曰彼善,公为树朋。公所勇为,公则躁进;公有退让,公为近名④。谗人之言,其何可听?

先事而斥,群讥众排;有事而思,虽仇谓材⑤。毁不吾伤,誉不吾喜。进退有仪,夷行险止。

呜呼公乎!举世之善,谁非公徒?谗人岂多,公志不舒?善不胜恶,岂其然乎,成难毁易,理又然欤?

呜呼公乎!欲坏其栋⑥,先摧桷榱⑦;倾巢破鷇⑧,披折旁枝。害一损百,人谁不罹?谁为党论,是不仁哉!

呜呼公乎!易名⑨谥行,君子之荣。生也何毁?没

也何称？好死恶生，殆非人情。岂其生有所嫉，而死无所争？自公云亡，谤不待辨，愈久愈明，由今可见。始屈终伸，公其无恨！写怀平生，寓此薄奠。

【注释】

①谓枘凿不可入。

②丘、轲：孔子、孟子之名。

③讦：揭发人隐私。

④近名：谓有邀誉之心，《新唐书·潘好礼传》："居室服用粗苟至终身，世谓近名。"

⑤谓仲淹复旧职，吕夷简言于仁宗曰："仲淹长者，朝廷方将用之，岂可但复旧职？"

⑥栋：屋之正梁。

⑦榱：屋椽，自高而下，层次排列，如有等次，故名。

⑧彀(kòu)：雏之须母哺食者。

⑨死而谥曰易名，谓易其名而称其谥。《礼记·檀弓下》："日月有时，将葬矣，请所以易其名者。"

【译文】

某月某日，庐陵欧阳修，恭敬地准备清醇美酒、美味佳肴作为祭品，祭奠故资政殿学士、尚书户部侍郎范文正公在天之灵：

啊，范公！学习古人而身居当代，如同将方形的物体放入圆形的器皿中。孔丘、孟轲艰难辛苦，而他们的道始终如一。

你说某人奸恶，就有人说你好攻讦；你说某人是好人，就有人说你树党结朋。你敢作敢为，就有人说你轻率冒进；你谦恭退让，就有人说你贪图虚名。这种谄人之语,有什么值得听取的呢?

事先发表见解遭受指责,以至于群起而讥笑排斥;事后想起了你,即使是仇人也承认你的才华。诋毁诽谤不能够伤害你,赞语颂词不足以愉悦你。前进后退有礼仪,平地自当前行,险阻自然停步。

啊,范公!举世好人哪一个不站在你这一方?进谗言的人难道有那么多,使得你的志向不能舒畅?善不能战胜恶,难道理当如此?成就一件事如此艰难,而毁坏它却这样轻而易举,难道还是理当如此?

啊,范公!想要破坏栋梁,必先摧毁屋椽;倾覆鸟巢,摔破鸟蛋,必先折断近旁的枝桠。为了祸害一人而不惜殃及百人,谁能幸免于难呢?是谁造出朋党这个罪名,如此不仁不义!

啊,范公!死后称谥,对君子来说是莫大的荣耀。生前所遭受的攻讦哪里能对你造成损伤?死后哪里有赞誉能够超过如此?欢喜生存而厌恶死亡,总不合乎人之常情。这大概是因为活着就要引起别人的嫉妒,而死亡总不会有人来争抢?自从范公您死后,诽谤不待辨别,愈久真相愈明朗,由今天可以看出。开始时受尽委屈,正义终于得到伸张,范公啊,你可以死而无恨了!倾诉我对你的深深怀念,寄寓在这微薄的祭奠!

祭梅圣俞文

【题解】

本篇祭文颂扬了梅圣俞的文学才能和博大胸怀，对他的坎坷困顿和中寿而亡表示深切同情。文中欧阳修一再以自己同梅圣俞相对照，突显了他的无限哀思和痛惜之情。

【原文】

维嘉祐五年，岁次庚子，七月丁亥朔，九日乙未，具官欧阳修谨率具官吕某、刘某，以清酌庶羞之奠，致祭于亡友圣俞之灵而言曰：

昔始见子，伊川[①]之上。余仕方初，子年亦壮。读书饮酒，握手相欢，谈辩锋出[②]，贤豪满前。谓言仕宦，所至皆然，但当行乐，何有忧患。

子去河南，余贬山峡[③]，三十年间，乖[④]离会合。晚被选擢，滥官朝廷，荐子学舍[⑤]，吟哦六经。余才过分，可愧非荣；子虽穷厄，日有声名。

余狷[⑥]而刚，中遭多难，气血先耗，发须早变。子心宽易，在险如夷，年实加[⑦]我，其颜不衰。谓子仁人，自宜多寿[⑧]；余譬膏火，煎熬岂久[⑨]？事今反此，理固难知，况于富贵，又可必期？

念昔河南，同时一辈，零落之余，惟予子在。子又去我，余存无几。凡今之游，皆莫余先。纪行琢辞，子宜余

责；送终恤孤，则有众力。惟声与泪，独出余臆[10]。尚飨！

【注释】

①伊川：即伊河，在今河南栾川、嵩县、伊川等县境。洛水支流。时修与圣俞，并在西京留守钱惟演幕府。

②言如锋刃之出，锐不可当，所谓谈锋甚利。

③谓贬为夷陵令。

④乖：背离。

⑤修在翰苑，状举圣俞充国子监直讲。

⑥狷：介也，直也。

⑦加：超过。

⑧《论语·雍也》："仁者寿。"

⑨余譬膏火，煎熬岂久："膏以明自煎。"汉彭城老父哭龚胜语。语本此。

⑩臆：当胸之处。

【译文】

嘉祐五年（1060），岁在庚子，七月丁亥朔，九日乙未，具官欧阳修谨率具官吕某、刘某，以清酒和各种美味的菜肴作奠仪，致祭于亡友圣俞在天之灵：

我初次与你相见，是在伊川之上。当时我刚刚步入仕途，你也正当壮年。一起读书饮酒，握手言欢，交谈辩论，锋芒毕露，贤士豪杰挤满面前。大家都说做官不过如此，到哪里都是一样，还是应当及时行乐，何必满腹忧虑。

你离开河南，我也被贬到了山峡。三十年间，我们一直分离而难以聚合。晚年我被提拔，滥竽充数于朝堂，又推荐你到国子监任职，诵读六经。我占据超过自己才干的职位，惭愧这并非荣耀；你虽然困顿，名声却日渐增进。

我性情孤傲刚直，一生中遭受许多磨难，气血消耗殆尽，头发胡须早已斑白。你心胸宽广，处凶险之地如经历平地，年龄比我大，而颜色不衰。说你是仁者，自然应当高寿；我如同膏油投火，岂能煎熬许久？然而如今却正好相反，其间的道理难于知晓，更何况对于富贵，又有什么值得期待的呢？

回想起过去在河南，我们同辈的朋友，零落凋谢，只剩下你和我还在。你现在又离我而去，我也活不了多久了。如今同你交游的人，没有哪一个在我之前。字斟句酌写下你一生的历程，你自然而然托付给我；为你送终以及抚恤你的遗孤，还仰仗众人之力。唯有哭声和眼泪，独出我的胸臆。尚飨！

祭石曼卿文

【题解】

本篇祭文赞叹曼卿声名不朽，必将流芳后世；哀悼曼卿抱负不凡，但死后坟墓凄凉；回顾往昔交游，更增伤感。三呼三叹，痛入肺腑，"清音幽韵，凄如飘风急雨之骤至"。

【原文】

维治平四年七月日[①]，具官欧阳修，谨遣尚书都省令史李扬[②]，至于太清，以清酌庶羞之奠，致祭于亡友曼卿之墓下，而吊之以文曰：

呜呼曼卿！生而为英，死而为灵！其同乎万物生死，而复归于无物者。暂聚之形，不与万物共尽，而卓然其不朽者，后世之名。此自古圣贤，莫不皆然，而著在简册者，昭如日星。

呜呼曼卿！吾不见子久矣，犹能髣髴子之平生[③]。其轩昂磊落[④]，突兀峥嵘[⑤]，而埋藏于地下者，意其不化为朽壤，而为金玉之精。不然，生长松之千尺，产灵芝而九茎[⑥]。奈何荒烟野蔓，荆棘纵横，风凄露下，走磷[⑦]飞萤。但见牧童樵叟，歌吟而上下；与夫惊禽骇兽，悲鸣踯躅而咿嘤[⑧]。今固如此，更千秋而万岁兮，安知其不穴藏狐貉与鼯鼪[⑨]？此自古圣贤亦皆然兮，独不见夫累累乎旷野与荒城[⑩]！

呜呼曼卿！盛衰之理，吾固知其如此，而感念畴昔，悲凉凄怆，不觉临风而陨⑪涕者，有愧乎太上之忘情⑫！尚飨！

【注释】

①治平：宋英宗年号。

②唐尚书令之署曰都省，亦曰都堂，宋因之。令史：官名，主文书，汉时以助郎职，历代因之，自隋以后，渐为卑冗，不参官品，唐宋诸司，皆有令史。

③髣髴：与“仿佛”同，见不真切而疑似。

④轩昂：高举貌。磊落：坦白光明。

⑤突兀：高貌。峥嵘：高峻。

⑥灵芝：古以为瑞草。《抱朴子》：“朱草芝九曲。”故云九茎。

⑦磷：野火，俗谓之鬼火。《淮南子》注：“精在地暴露百日则为磷，遥望炯炯若燃火也。”

⑧踯躅：行而不进貌。咿嘤：鸣声。

⑨貉：似狸，毛质深厚温滑，可为裘。

⑩城：坟墓。

⑪陨：坠落。

⑫晋王衍丧子，山简吊之，衍悲不自胜，简曰：“孩抱中物，何至于此？”衍曰：“圣人忘情，最下不及于情，然则情之所钟，正在我辈。”太上：犹言最上。

【译文】

治平四年(1067)七月某日，具官欧阳修，差遣尚书都省令史李到太清之下，以清酒和各种美味的菜肴作奠仪，致祭于亡友石曼卿的墓前，并作一篇文章吊祭说：

唉！曼卿，在世时是英杰，死后成为神灵！你同万物一道生死，最后又回归到无物的地方。你是暂时相聚的形体，不与万物一道灭亡，卓然挺立，永垂不朽，给后世留下英名。从古至今的圣贤，莫不如此，留著于史册，像日月星辰一样明亮。

唉！曼卿，我已经很久没有见到你了，还能仿佛记得你生前的容貌。你气宇轩昂，光明磊落，高大英俊，虽然被埋葬在地下，想来不会腐朽化为泥土，而会变成金玉的精华。如其不然，也会长出高达千尺的松树，生出九根茎的灵芝草。无奈荒烟野草，藤蔓缠绕，荆棘纵横，风雨凄凉，霜露下降，磷火飘动，飞萤明灭。只见牧童与老樵夫，一唱一和，上上下下；惊恐的飞禽与受惊的野兽，悲切地鸣叫，前后徘徊。今天已经是这样，待千秋万岁之后，谁会知道墓穴里面没有深藏着狐狸、貉子、鼯鼠和黄鼠狼？自古以来，圣贤都是这样的，单单看不到累累相连的坟墓四散在旷野之上么！

唉！曼卿，古今盛衰的道理，我固然知道是这样的，而思念从前的情景，不觉悲凉凄怆，临风涕泪，对于“太上忘情”，很有些惭愧。尚飨！

杂题跋

读李翱文

【题解】

欧阳修欣赏赞叹李翱《幽怀赋》，是因为他认为李翱能够摆脱个人得失穷通的卑微情感，不徒然悲老，亦不自怨自艾，而是心忧天下、胸怀天下，这就将欧阳修自己深沉的忧患意识和痛切的愤世之情曲折而又尽情地吐泻，具有非常强的艺术感染力。

【原文】

予始读翱《复性书》三篇[1]，曰此《中庸》之义疏尔[2]。智者诚其性，当读《中庸》；愚者虽读此，不晓也，不作可焉。

又读《与韩侍郎荐贤书》[3]，以谓翱特穷时愤世无荐己者，故丁宁[4]如此；使其得志，亦未必然。以韩为"秦汉间好侠行义之一豪俊"[5]，亦善论人者也。

最后读《幽怀赋》，然后置书而叹，叹已复读，不自休。恨翱不生于今，不得与之交；又恨予不得生翱时，与翱上下其论也。

凡昔翱一时人，有道而能文者，莫若韩愈。愈尝有赋矣，不过羡二鸟之光荣，叹一饱之无时尔[6]。此其心使光荣而饱，则不复云矣。若翱独不然，其赋曰："众嚣嚣[7]而

杂处兮，咸叹老而嗟卑；视予心之不然兮，虑行道之犹非[8]。”又怪神尧以一旅取天下[9]，后世子孙不能以天下取河北以为忧[10]。呜呼！使当时君子，皆易其叹老嗟卑之心，为翱所忧之心，则唐之天下，岂有乱与亡哉？

然翱幸不生今时，见今之事，则其忧又甚矣[11]。奈何今之人不忧也！余行天下见人多矣，脱有一人能如翱忧者[12]，又皆贱远，与翱无异；其余光荣而饱者，一闻忧世之言，不以为狂人，则以为病痴子，不怒则笑之矣。呜呼！在位而不肯自忧，又禁他人使皆不得忧，可叹也夫！景祐三年十月十七日，欧阳修书。

【注释】

①《复性书》三篇，略言：人之所以为圣人者“性”也，所以惑其性者“情”也，人生不过百年，当抑制其情，不虑不思，以复其道德之性。

②《中庸》：《礼记》篇名，孔子孙子思所作。中，不偏。庸，不易。宋时与《论语》《大学》《孟子》合而为《四书》，朱熹作《章句》。疏，解经义之书，谓之“义疏”。

③韩侍郎：韩愈。翱书言：某大官知陆洿之贤而不能用事。

④丁宁：再三告诉。

⑤翱谓：愈所引拔，必须甚有文词，兼能附己，顺我之欲者，此秦汉间尚侠行义之一豪俊也。

⑥愈以前进士，三上宰相书，不报，东归。见有进白乌、白鸲者，作《感二鸟赋》，有“感二鸟之无知，方蒙恩而入幸”及“辱饱食其有数，况策名于荐书”等语。

⑦嚣嚣：众多喧哗之状。

⑧谓纵得行道，犹恐无补于国。

⑨唐高祖庙号神尧大圣大光孝皇帝。《左传》谓夏少康有众一旅，旅五百人，高祖初以太原留守起兵，平天下。

⑩唐玄宗时，安禄山反于范阳，嗣是藩镇跋扈，穆宗时卢龙、魏博等军相继作乱，举兵讨之，讫无功。翱赋所谓“自禄山之始兵兮，岁周甲而未夷；何神尧之郡县兮，乃家传而自持”，又“当高祖之初起兮，提一旅之羸师……”是也。

⑪谓契丹、西夏数为边患也。

【译文】

我开始读李翱的三篇《复性书》时，心里想，这不过是给《中庸》做的注解罢了。聪明的人明白“性”的含意，应当读《中庸》；愚笨的人即使读了《复性书》，也不懂得这个道理，所以《复性书》不作也可以。

又读他的《与韩侍郎荐贤书》，认为李翱只是时运不通而愤恨世上没有推荐自己的人，因此反复述说求贤之事；假如他能得志，也未必这样。然而他把韩愈比作秦汉间好侠行义的豪杰之士，也算是善于论人了。

最后读了《幽怀赋》，然后放下书卷赞叹，赞叹后又读，不能停下来。遗憾的是李翱不生于今世，不能与他交往；又惋惜自己没有生在李翱的时代，不能与他共同反复商讨他所提出的问题。

凡是昔日与李翱同时代的人，行仁义之道而善于作文的没有谁赶得上韩愈。韩愈曾经写过一篇赋，不过是羡慕两只鸟的荣耀，感叹还没吃上一顿饱饭罢了。推究韩愈的心理，假如让他光显荣耀、生活宽裕，就不会再感叹了。像李翱就不是这样，他的《幽怀赋》说：“众人喧哗而纷纷退隐，都感叹年老和地位卑下；内省自己的心却不是这样，只担心行圣人之道还有不足之处。”又诧异唐高祖李渊能用一支军队取得天下，而后代的子孙却不能用全天下的力量收复河北，为此而忧虑不已。唉！假使当时的君子，都改变他们的叹老嗟卑之心，而代之以李翱的忧国之心，那么唐朝的天下哪里会发生动乱而最终灭亡呢？

然而李翱幸好没有出生在当今之世，看到今天发生的事情，那么他的忧虑就更深重了。奈何如今的人不知忧虑！我行走天下，见的人很多了，倘或有一个能够像李翱那样忧心国事的，又都是职位低和被朝廷贬斥的人，与李翱没什么两样；其他做得高官、生活优裕的人，一听到有谁讲忧世的话，不是把他看作狂人，就是把他看作傻子，不是发脾气就是笑话他。唉！身在其位而自己无忧国之心，又禁止别人使其都不忧虑国家之事，可叹啊！景祐三年(1036)十月十七日，欧阳修作。